正史里的广西

邓平——著

正史里的广西

清代卷

广西人民出版社

图书在版编目（CIP）数据

正史里的广西．清代卷 / 邓平著．-- 南宁：广西人民出版社，2025. 4. -- ISBN 978-7-219-11899-3

Ⅰ. K296. 7

中国国家版本馆 CIP 数据核字第 2024DM1452 号

ZHENGSHI LI DE GUANGXI · QINGDAI JUAN

正史里的广西 · 清代卷

邓平 著

总 策 划 赵彦红 萨宣敏

执行策划 李亚伟

责任编辑 陆姿烨 徐蓉晖

责任校对 周月华

封面设计 王程媛 牛广华

版式设计 李彦媛

出版发行 广西人民出版社

社　　址 广西南宁市桂春路 6 号

邮　　编 530021

印　　刷 广西民族印刷包装集团有限公司

开　　本 889mm × 1240mm 1 / 32

印　　张 5.25

字　　数 109 千字

版　　次 2025 年 4 月 第 1 版

印　　次 2025 年 4 月 第 1 次印刷

书　　号 ISBN 978-7-219-11899-3

定　　价 28. 00 元

《正史里的广西》编委会

总序

为深入学习贯彻习近平文化思想，认真落实全国宣传思想文化工作会议精神，贯彻落实习近平总书记在文化传承发展座谈会上的重要讲话精神以及习近平总书记关于广西工作论述的重要要求，在广西壮族自治区党委宣传部组织策划下，广西人民出版社推出了五卷本《正史里的广西》。

盛世修史是中华民族流传几千年的传统，在这一传统中，我们的文化得以传承有序，我们的文明得以连绵不绝，我们的民族精神得以生生不息。以“二十四史”为核心的正史是展现中华民族起源和发展的核心典籍，在中华文明史上有着极其重要的地位。

所谓正史，指的是自西汉司马迁撰《史记》到清朝张廷玉等撰《明史》，首尾相连，记述历代王朝兴衰的二十四部纪传体史书。在汗牛充栋的中国古代史书中，正史具有核心地位。《四库全书》史部文献分十五类，以“正史类”居首，定义为“正史体尊，义与经配”，就是说正史的权威性可以与儒家经书相匹配。正史的概念始于唐初，涵盖范围随着历史发展陆续增加，到清朝中叶经乾隆皇帝“钦定”，确立为二十四部，亦称“二十四史”。1921年，北洋政府宣布将清末民初柯劭忞所撰《新元史》列入正史范围。另外，民国前期赵尔巽等撰的《清史稿》虽未通过南京国民政府审查，但由于编纂体例和定位相近，当代研究者习惯上也将它作为“准正史”看待。因此，又出现了“二十五史”“二十六史”这样的概念。

广西历史源远流长，无论是史前社会还是先秦时期，抑或是秦汉以后，都有着厚重且引以为傲的历史文化。“二十四史”等正史，便存有众多关于广西历史文化的重要资料。梳理这些传世典籍中有关广西的内容，从某种意义上讲，不仅是直接延续了广西地方文脉，更是间接守护了中华民族的文化血脉。同时，中国地方志源远流长，历代修志绵延不绝，成为中华民族特有的优秀文化传统。正所谓“国有史，地有志”，广西地方志进一步丰富了广西历史文化内容。

回顾历史，早在20世纪80年代，在已故著名学者莫乃群（1911—1990年）先生主持下，广西壮族自治区通志馆就编纂了约一百五十万字的《二十四史广西资料辑录》（广西人民出版社1989年出版），为学者研究古代广西历史提供了很大方便。我们这套《正史里的广西》，就是在上述资料辑录的基础上撰写而成的。关于撰写情况，简单说明如下：

第一，《二十四史广西资料辑录》从“二十四史”中抄录的与广西有关的资料十分完备，但仅是遵照正史原书篇章次序排列资料，并未根据资料性质分类归纳，也没有对资料进行注释或翻译。因此它主要是为学术研究服务的，不便普通读者阅读。《正史里的广西》则对“二十四史”所载相关内容突出重点，提炼专题，结合“二十四史”以外的史料，参考学术界研究成果，补充背景和细节，从而系统地向广大读者介绍与广西有关的历史文化知识。

第二，“二十四史”终结于《明史》，因此《二十四史广西资料辑录》缺乏清代内容。当时，广西壮族自治区通志馆另外编纂了《〈清实录〉广西资料辑录》（与广西壮族自治区图书馆合编，广西人民出版社1988年出版），篇幅更为庞大，共六册，近两百万字。《正史里的广西》清代内容以与“二十四史”体例、性质基本相同的《清史稿》为准，保证全书编纂原则一致，涵盖中国古代全部王朝，前后规模大体相当，更加方便读者阅读。

第三，“二十四史”中关于广西的资料虽然相当丰富，但受限于“正史”性质和取材的影响，内容以政治、军事为主，经济和文化方面的记载比较单薄，且有遗漏。鉴于这种情况，有个别篇章在选题和内容上都超出了“正史”范围，或者说为“正史”所未载，而选取了地方志或者碑刻等文献资料。我们觉得，尽管《正史里的广西》以“正史里的广西”为题，但在某些问题上对“正史”记载有所拓展，也是合理或可以接受的。

第四，结合新时代的需求，《正史里的广西》的撰写思路遵循三项原则：首先，从铸牢中华民族共同体意识、传承中华优秀传统文化、推动中外文明交流互鉴的角度来选择书写对象；其次，挖掘历史人物、事件与广西的关联，致力于讲述中华文明发展中的广西故事；最后，点线结合，既注重对人物、事件的书写，也注重对广西历史脉络的构建。

《正史里的广西》按照时间顺序分为五册，分别由四位作者撰写。尽管各位作者的写作风格不尽相同，但都力图做到学术性与通俗性的统一，以求勾勒出广西文明史的演变脉络，呈现出立体、多元、富于动态的广西历史图景。

作为中华文明版图中的“南疆锁钥”，广西的特殊坐标既体现在地理区位的门户作用，更彰显于边疆民族地区维护国家统一、推动文化共生的历史实践。这种跨越时空的忠诚守护与文明交融，正是铸就中华民族生生不息坚实根基的核心力量。相信通过这套《正史里的广西》，读者可以更全面、深入地理解广西，从中国乃至世界文明的视域去审视广西，感知广西人民在漫长时代里披荆斩棘、一路走来的艰难辉煌历程，对广西各民族交往交流交融的历史和广西在维护民族团结、边疆安宁的贡献有更深刻的体认。

张　帆

（中国史学会副会长，北京大学历史学系原主任，统编高中历史教材《中外历史纲要（上）》主编）

目录

石涛：笔墨绘就超凡山水

释道济，字石涛、明楚藩裔，自号清湘老人。题画自署或曰大涤子，或曰苦瓜和尚，或曰瞎尊者。

——赵尔巽等《清史稿》卷五百四《艺术传三·释道济》

石涛本姓朱，名若极，广西桂林人，明靖江王朱亨嘉之子，生活在明朝末年至清朝初年，康熙年间去世，石涛为其字。其生平年经学者们考证后，基本认为是1641—约1718年。他出生在广西全州，曾寄寓全州湘山寺，自号清湘老人等。他的绘画才能极为出色，清人有赞：“海内丹青家不能尽识，而大江以南当推石涛第一。”他对后来的扬州画派，乃至中国现代绘画的发展产生了深刻的影响。他同时擅长书法与写诗，画、书、诗皆绝。

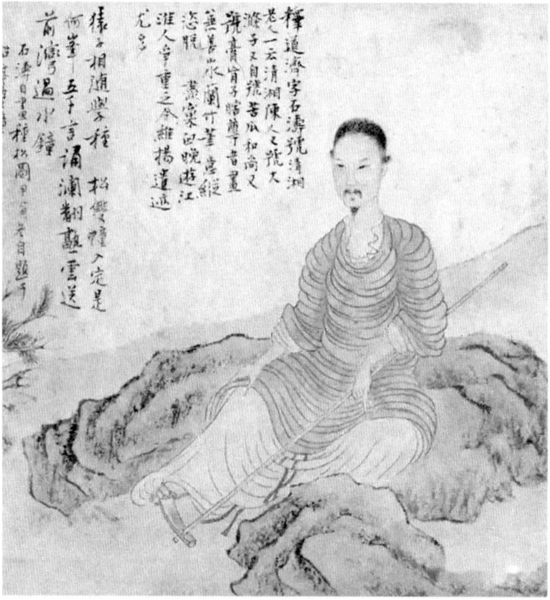

石涛自画像

石涛其人

石涛本为明朝宗室、靖江王之后。明清鼎革，战乱纷纷，年幼的他避难于全州寺庙。他的号中常见“清湘”二字，即全州旧时所辖之清湘县。清嘉庆《广西通志》记载：“全州，晋天福四年文昭王奏以湘川为清湘县，置全州，并割灌阳县隶之，今全州领县二，俱在今广西。”石涛号有清湘陈人、清湘道人、清湘老人等，显示出他对广西有着极深的认同，可能也暗含着他与靖江王后裔身份的感情羁绊。石涛与广西的深厚渊源，以及对其出身之地的亲近之情，无处不显，石涛挚友屈大均诗云：“师本全州清净禅，湘山湘水别多年。全州古松三百里，直接桂林不见天。湘水北流与潇合，重华此地曾流连。”石涛早年在全州落发为僧，及后多在寺庙寄居，多以僧人身份进行避难。他的人生经历绘就了他艺术创作的底色，所以其凭绘画成就被称为“画僧”，与“八大山人”朱耷等一同被尊为“清初四僧”。

石涛一生交友广泛，受教于多名大师，博采众家之长，所拜之师、所交之友以及所处之环境，塑造了他独树一帜的绘画风格。初时，他拜旅庵本月为师，接触了较成体系的佛教思想，奠定了他的美学思想基础。居住在安徽宣城敬亭山广教寺之际，他结交了众多名士，如吴晴岩、梅清等。旅居宣城是他绘画生涯中的关键转折点。一则宣城与黄山相距甚近，黄山作为天下名山，是山水画创作的灵感源泉。依靠着地理位置的便捷，石涛数次前往黄山写生。“黄山是我师，我是黄山友”，其画作多得黄山之灵韵，现有《黄山图册》等作品传世。再则他与梅清志趣相投。梅清，年长石涛将近二十岁，好画黄山，早期即潜心钻研黄山的绘画，在画黄山奇松方面尤为擅长，其以真山真水为创作源泉，崇尚实出的绘画理念与石涛不谋而合。二人相互欣赏，相互切磋绘画技艺，石涛曾署名“西粤僧超济”赠梅清诗，梅清陆续作有《石公从黄山来宛见贻佳画答以长歌》《赠石涛》《题石涛黄山图》等，诗词酬唱间尽显二人深厚交情。石涛此时绘山水画的方式，与梅清的浸润不可分割，而梅清在晚年的绘画成就，又得石涛之助益。他们对“黄山画派”产生了重要的影响，皆被誉为“黄山派巨子”。石涛这一时期的画作有着非常强烈的创作理念，笔画腾游之间，多出自其所思所想，并不囿于传统的绘画技艺。

三十八岁那年，石涛前往南京。这一时期，他的创作主题由黄山转向了梅花。此时石涛已小有名气，得到了康熙帝的召见。而他名气之高、绘画造诣之深，源自他精益求精的钻研精神。据说在南京旅居时为了画好梅花，石涛独自前往山岩沟壑、野店荒村、僧舍人家探寻，行百里之远，寻找梅花，汲取绘画的灵感源泉。

石涛京师之行

京师之行是石涛人生中的重要旅程，体现了他个人命运与政治文化交织的复杂性。康熙二十三年（1684年），石涛在南京得康熙召见，五年后在扬州他再次得到康熙召见，这两次召见为石涛北上京师创造了良好的契机。扬州召见后不久，石涛北上抵达京师。虽然他北上的目的难以揣测，但是旅居京师时期，他创作了其最具代表性的作品——《搜尽奇峰图》。该画现藏于故宫博物院，纸本，墨笔，长42.8厘米，宽285.5厘米，在画卷迎首处有石涛所题“搜尽奇峰打草稿”。画中远峰如黛，怪石错落有致，屋宇桥梁隐于山林之中。有艺术评论家说：“该画在表现上，于奇险中见雄浑，严谨处寓虚空。虽看似笔墨豪放，皴擦点染尽在无意，而在整体上却把握了峰峦层次，

《搜尽奇峰图》局部

云气走向及林木隐现的神韵。”这幅画是石涛的典型代表作。清初仿古之风盛行，石涛提出“搜尽奇峰打草稿”，主张绘画创作源于自然，反对一味仿古，崇“实”的理念贯穿于他的绘画中，为山水画开拓了新的意境，对清初画坛风潮的转变产生了重大影响。

石涛以画为媒介，与官员们交往密切。在京师居住期间，他曾为时任户部尚书的王骘作《长安雪霁图》，为吏部右侍郎王泽弘作《古木垂阴图》。京师时期的繁忙应酬，无法掩盖他与当时政治文化之间的巨大鸿沟，不断的奔波让他倍感孤寂，生出感慨：“诸方乞食苦瓜僧，戒行全无趋小乘。五十孤行成独往，一身禅病冷于冰。”因未能达到自己期许，心灰意冷之下他归于扬州。从京师返回后，又有拜武英殿大学士的李天馥、庐州知府张纯修等支持他——此二人在文学、绘画上皆有造诣，张纯修更是痴迷于画，不仅收藏的名画十分丰富，且自己也擅画山水。与其说石涛与官员们往来甚密，不如说清初具有艺术修养的官员们对石涛青睐有加，这也是他们对石涛艺术成就的充分肯定。石涛在与众位仕宦名流交往中，并未贪图利益，如李天馥、张纯修邀请他前往合肥之时，拟将稻香楼赠予他，被他婉拒。还有专任江宁织造，后曾兼巡视两淮盐漕监察御史的曹寅等，也与石涛多有来往。而石涛之所以能与众位官宦深交，与当时清朝初建政权，积极笼络文化人士的举措分不开。曹寅就是康熙在江南笼络的文化人士的重要代表。石涛晚年定居扬州，后以卖画为生，最终在贫困交加中逝去。

石涛的美学思想

石涛晚年所撰写的《画语录》被视为美学巨著，其中所蕴含的美学思想，具有广泛而持久的影响力，在艺术史上始终占有一席之地。石涛受儒家、道家、佛教思想的综合影响，他将上述思想与绘画艺术相结合，画风独树一帜。

谈石涛美学思想的形成，必然要探究当时思潮的变化。明末之时，曾经显赫一时的心学因脱离实际的空谈心性而逐渐衰微，甚至时人将明末的灭亡与心学盛行所致的空谈心性、疏于实务挂钩。清初，为扭转这一学术风向，时人逐渐回归到经典的研读解析和讲求实务上。由此，清代的考证之学开始盛行，虽然后期步入沉迷故纸堆的迂腐中，亦脱离实际，但是在康雍时期也曾短暂地兴起经世致用之风。总的来说，崇尚实用是明末清初学术思潮的基本方向。

在清初画坛上，则盛行复古风潮。其中有四位画家是复古、正统的画派代表，他们分别为王时敏、王鉴、王翚（huī）、王原祁。四人在绘画成就上的共同特点就是摹古，深谙传统画法，将宋元时期的笔墨技法视为绘画的最高标准。他们所主张的尚古思想，一直被清朝的绘画领域视为主流。如王时敏是“四王”之首，在董其昌指导下，少时从摹古入手，尤嗜追摹黄公望山水画。旅居京师期间，在博尔都的撮合之下，石涛与“四王”之一的王原祁合作了一幅《兰竹图》，石涛用墨写兰，王原祁为其补坡石，浓淡相宜，稳健中见灵动，成为传世佳作。总之，正统画派所主张的刻意师古与石涛的师法自然、笔法随意之间存在本质上的不同，石涛的绘画理念极大地冲击了正统画派，促进了艺术领域的革新。

在崇尚实务的学术思潮、对当时画坛仿古思潮导致刻板僵硬的反思、与各大画家的不断实际切磋探讨、自己的绘画历程与体会等的多重影响下，石涛的美学思想日臻完善与成熟，《画语录》也就应运而生。在《画语录》中，石涛系统阐述了山水画创作与自然的关系、笔墨技法等。《画语录》虽然晦涩难懂，但石涛具有变革性的美学思想得到了系统而深刻的阐释，现今之人也由此称他为艺术理论家。

石涛孤苦伶仃的一生与其时人难望其项背的艺术成就形成鲜明对比。他生于广西，辗转于湖北、安徽、江西、江苏、京师，晚年才得以定居江苏。他个人漂泊的命运与明末清初的动荡局面极为相似，而他对于出生地清湘的眷念，始终是他命运的基点，可以说，他是号中有清湘、画中有清湘、诗中有清湘。个人经历也成就了石涛，使其成为明末清初最具影响力的画家之一，他的山水画和美学思想，对后世造成了深远影响，他被吴冠中尊奉为“中国现代艺术之父”。

于成龙："天下廉吏第一"

民益得尽力耕耘，居罗山七年，与民相爱如家人父子。牒上官请宽徭役，疏醝引，建学宫，创设养济院，凡所当兴罢者，次第举行，县大治。总督庐（卢）兴祖等荐卓异。

——赵尔巽等《清史稿》卷二百七十七《于成龙传》

于成龙（1617—1684年），字北溟，号于山，山西永宁（今吕梁）人，曾在广西罗城任知县七年，后历任黄州知府、武昌知府、福建按察使、福建布政使、直隶巡抚，官至两江总督。清康熙二十三年（1684年），于成龙于任上病故，予祭葬，谥清端，曾被康熙帝誉为“清官第一”。

于成龙画像

不畏艰险，赴任罗城

明清鼎革之际，刚建立政权的清廷急需人才治理地方。顺治十八年（1661年），已是不惑之年的于成龙不顾亲朋好友的阻拦，心怀抱负，接受清廷委任，到遥远的广西罗城任知县。

罗城，位于今广西河池境内，地处九万大山南麓，仫佬族、壮族、瑶族等各族群众居住于山间，交通闭塞，气候湿热，地势险恶，鲜有客民、客商，北方人更难以适应南方的热气蒸腾。再加上这里刚平定不久，治安混乱，此前清政府派遣过的两任知县，一位连同其家属、随从悉数殒命，另一位上任不久即弃印逃亡，罗城环境之恶劣可以想象。别人避犹不及的地方，于成龙非但没有退缩，反而慷慨赴任。

史料记载，于成龙到达罗城时，县中的民居屈指可数，仅有六家，城郭全无，更遑论知县办公所需之地。他只能暂时寄居于关帝庙中，用泥土垒个台子就当是办公桌。初来乍到加上水土不服，于成龙身体羸弱，处境艰难，而身边的仆从却因忍受不了这里的环境而“群谋为归计”，纷纷离开罗城。他非但没有加以阻拦，反而“叮咛各自逃生”。只有一名叫苏朝卿的义仆留下陪同于成龙。之后家里给他送来的仆人也相继生病，他又派苏朝卿护送这些仆人还乡，只剩他孤单一人在罗城。

历经种种困难，于成龙也并不气馁，他勇于面对现实，安抚百姓，训练官吏，积极实施一系列措施以维护罗城安定，促进经济恢复与发展。于成龙在罗城任职七年，做出了卓越的政

位于广西罗城的于成龙石雕

绩，廉洁爱民，获得了当地老百姓的爱戴和朝廷的赏识。

有一则小故事充分反映出于成龙廉洁爱民。据今人研究，时当地老百姓不叫他“县大老爷”，而是叫他“阿耶”，意思类似于“大爷”或“老爹”。百姓们知道他过得清苦，因此交田赋时一定要交到他的手上，甚至想再多交一些钱。于成龙不解，百姓们解释道：“阿耶从不向我们多收正赋之外的银子，也不向我们要吃的穿的，知道阿耶就喜欢喝酒，我们就多给阿耶一些喝酒钱。”于成龙推辞不掉，为了不让百姓伤心，象征性地收取四文钱，大致相当于市场上一壶劣质酒的价格，并且声明只此一次。有一天，罗城百姓听说于成龙老家来了一个人，高兴地奔走相告，相约来到于成龙衙中，让其收下他们所带的礼物和钱财好生招待客人，于成龙笑着拒绝。百姓们见于成龙不收，都哭着跪下一再请求，于成龙见到这一幕也不禁泪流满面，但仍然拒绝。可见，于成龙在罗城任职时，深得百姓爱戴。

重典治乱，怀柔并举

于成龙身为一县之主，积极实施一系列政治措施维护地方社会的稳定，促进经济的恢复与发展。

于成龙重视保甲之制，练乡兵，组建了一支有实力的治安队伍。清初的罗城，缺乏常驻官员管理，导致以强凌弱、以众欺寡的现象屡见不鲜，城内无一处安宁祥和之地，此皆为时局之弊。于成龙任罗城知县时，战火仍然在云南、广西等地燃烧，时局动荡，民不聊生，不少人被迫落草为寇。他积极推行保甲之制，训练乡兵，将被捕的盗贼审判定罪后立即处决，以雷霆之势稳住时局，百姓得安其家。时有县外盗寇前来侵扰，于成龙集结乡兵捣毁其巢穴，引起他们的恐惧，不敢再侵犯罗城。

重典治乱同样体现在于成龙对官府军队进行约束的建议上。屯守之兵可以稳定时局，不可不设。而民情复杂，要想地方安定，统领这些屯守之兵的法条不可不严。于成龙并没有一味地袒护官方军队，而是认为兵具有两面性，既可以保护民众也会祸害民众，既能防止奸诈之徒，也可能成为奸诈之徒。他主张对广西屯戍之兵，要严格约束，不能滥用。军事纪律上的严明，是重典治乱的基础。

于成龙还提出：军事威慑只是暂时的权衡之计，以德治理更符合当地民情。于成龙奉行“暂羁縻之渐，教育之宽，舒其手足，约束其心思，扶绥驯制，宁猛无宽”的扶绥政策。此外，于成龙对地方形势还有着敏锐而深刻的观察，他清醒地认识到，盗患频繁的原因在社会动荡，百姓迫于形势，转而为盗。国家能够长盛不衰的根基在于为百姓谋取长治久安之道。基于“盗皆民”的认识，欲消祸患，不在于军事镇压，而在于不伤害民众的生命，不剥夺民众的财产，民众各安其家，各恋父母妻子，盗迹自会消失。为此，他采取文治，倡导以德教来改变风俗，因此深受当地百姓尊重。

于成龙为罗城百姓请求松缓徭役，疏销盐引，建立学宫，创设养济院。在他的精心治理下，民心安稳，百姓尽心耕耘，凋敝与萧条的田野村舍焕发新的生机，百姓无不敬仰称颂之。他居罗城七年，围绕抚民心、顺民意所实施的系列举措，效果显著，以至于后来仍然沿用。

三次被荐举为“卓异”

“卓异”，是清朝对地方官员实行三年一次“大计”考核的最高评价。任职地方的官员每三年参加一次考核，总督、巡抚等出具考语，最后由吏部保举为才能优异者，称为“卓异”。被认定为“卓异”的官员，将会加级，上升到更高级职位的速度随之加快。获此殊荣的官员为数不多，于成龙因在罗城的政绩，被两广总督卢兴祖举荐为“卓异”。这是于成龙第一次被推荐为“卓异”。

清康熙六年（1667年），于成龙升往四川，任合州知州。他招抚百姓开垦荒田，对缺乏人力与物力者，以耕牛与种子相助。一年之后，合州的人口大增，户至千数。

后来于成龙任黄州府同知时，该府驻地岐亭常受盗贼侵扰，白日抢劫屡见不鲜，谁都没有办法处理这些盗贼。于成龙上任后，劝降了盗贼的首领彭百龄，宽赦了他的罪行，并且让他捕盗自赎其罪。于成龙还常常穿便服行走于村落，对村落情况了如指掌。遇到盗窃案或者一些难以决断的案件，于成龙可循各种微小的迹象而破获，民众都十分惊叹并且佩服其能力。随后，湖广巡抚张朝珍举荐其为“卓异”。这是于成龙第二次被推荐为“卓异”。

清康熙十七年（1678年），于成龙升为福建按察使。清廷为防止沿海人民支持明廷的郑成功，施行海禁。百姓因“通海”获罪者，株连上千人，于成龙将平民受牵连的情况告知康亲王杰书，请求赦免。康亲王素来倚重于成龙，全部同意了他的请求。于成龙还善于断案，每逢遇到疑难案件都会审讯明白，判决公平，案件没有积累推迟，都得到及时处理，民间尊称其为“于青天”。福建巡抚吴兴祚上疏荐举于成龙为“廉能第一”，这是他第三次被举荐为“卓异”。

清康熙二十三年（1684年），于成龙在任上去世。去世之时，当地将军、都统以及僚属前往追念，发现于成龙仅留绨袍一件，床头有盐豉数罐而已。其灵柩归葬故里时，百姓罢市聚哭，相送数十里，有的还在家里绘制他的画像来祭祀他。

于成龙能够成为清朝初年的清官典范，深受康熙帝以及上级赏识，百姓爱戴，成为后世官员廉洁与勤政的榜样，绝非偶然。他廉洁自律、勤政爱民、政绩卓著，以实际行动践行“为官一场，造福一方”的理念，是中国古代官员廉洁奉公的典型代表，其清廉品格流芳百世。

汪森与“粤西通载”

汪森，字晋贤，浙江桐乡人，原安徽休宁籍……归田后，复借朱彝尊家藏书，荟萃订补，为粤西诗载二十四卷，附词一卷、文载七十五卷、丛语三十卷。

——《清史列传》卷七十一《文苑传二·汪森》

汪森（1653—1726年），字晋贤，号碧巢，祖籍安徽休宁，后迁居浙江桐乡（一说桐庐），是清初著名的藏书家、文学家和诗人。汪森在广西任职十年，曾任临桂、永福、阳朔知县，后又转任桂林通判等。

汪森个人经历

汪森，出生在人文荟萃的江浙地区。清代江浙地区涌现了大批杰出的学者、思想家、文学家和艺术家。例如，黄宗羲等思想家开创了清代学术的新风气；朱彝尊、查慎行、袁枚等文学家在诗词、散文领域成就斐然；钱大昕、戴震等学者在经学、史学、考据学方面贡献卓著。汪森为贡生出身，早年拜师于嘉兴周篔、沈进，诗词功底非常深厚。后与黄宗羲、朱鹤龄、朱彝尊、潘耒等大师交流学问，造诣更加精进。他建造了“碧巢书屋”作为吟诗写作的地方，修筑了“华及堂”来招待宾客。和兄长汪文桂、弟弟汪文柏并称“汪氏三子”，其家族以文学传家，“桐乡汪氏”成为一方文化符号。当时，汪森名声显赫，全国各地的名士纷纷远道而来拜访他。

汪森还以藏书丰富闻名，修建藏书楼“裘杼楼”来收藏典籍，聚书万卷，另有“小方壶”“拥书楼”等，藏书规模为浙西之首，弟汪文柏亦为藏书家。他编有《裘杼楼藏书目》，收录刻本、抄本数百种，校勘严谨。他与朱彝尊共同编订《词综》，对浙西词派的发展起到了推动作用。

朱彝尊画像

汪森长期任职于广西，受江浙地区学术风气影响，注重文献搜集整理。因广西舆图不够详细、考证困难的问题突出，汪森便广泛搜集汉至明末的广西诗文、方志及碑刻资料，为后续编纂工作奠定基础。回乡后，他又借助朱彝尊家的藏书，进一步补充修订资料，历时十年完成《粤西诗载》二十四卷，附词一卷；《粤西文载》七十五卷；《粤西丛载》三十卷。

汪森是清代重要的藏书家和文献编纂者，通过“粤西通载”系统保存了广西地方文化遗产。他的学术研究行为体现了清初士人整理文献、保存文化的自觉意识。因其种种贡献，汪森被誉为“粤西文献的开创者”。此外，他还著有《小方壶存稿》《桐扣词》等作品，诗风清新脱俗。

“粤西通载”

《粤西诗载》《粤西文载》《粤西丛载》是汪森编纂的三部关于广西历史文化的重要文献，合称“粤西通载”，又称“粤西三载”。

“粤西通载”编纂的直接原因是广西地方的文献资料简略、缺失多，“舆志缺略殊甚，考据难资，因取历代诗文有关斯地者，详搜博采，记录成帙”。清人对“粤西通载”评价很高。《四库全书总目》认为，“粤西三载”中虽微有舛错之处，且志、传都采自苏濬的《广西通志》，有许多不完善之处，“然其体例明整，所录碑版题咏多采诸金石遗刻”，体例严谨，所搜集资料广泛，具有十分重要的价值。

《粤西诗载》是一部广西历代诗词总集，收录了自秦汉至明末的诗词作品，共二十四卷诗及一卷词，约十五万字。诗歌题材广泛，涵盖广西的山川风物、历史事件、民俗风情等。汪森在康熙年间任桂林府通判时，他发现广西文献匮乏，于是广泛搜集地方志、史籍、文集、碑刻等资料，归乡后借朱彝尊

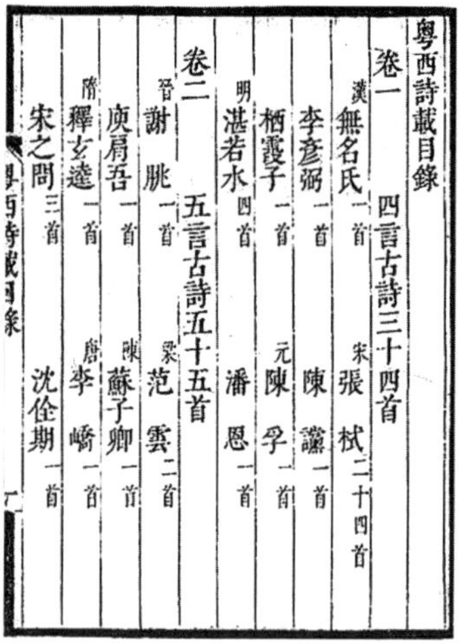
粤西詩載目錄
卷一 四言古詩三十四首
漢 無名氏 一首 宋 張栻 二十四首
李彥弼 一首 陳讜 一首
栖霞子 一首 元 陳孚 一首
明 湛若水 四首 潘恩 一首
卷二 五言古詩五十五首
晉 謝朓 一首 梁 范雲 二首
庾肩吾 一首 陳 蘇子卿 一首
隋 釋玄逵 一首 唐 李嶠 一首
宋之問 三首 沈佺期 一首

《粤西诗载》目录（部分）

藏书补充修订，最终在清康熙四十三年（1704年）完成《粤西诗载》。这部诗集记录了广西历代社会变迁、民族关系及自然风貌。其收录的诗人众多，既有广西本土的文人，也有柳宗元、范成大等流放到广西的官员的作品，展现了广西诗词文化的灿烂繁荣。

《粤西文载》是广西历代的文章总集，共七十五卷，收录了与广西相关的政论、碑铭、游记等方面的文章和奏疏。汪森在编纂《粤西诗载》后，进一步整理广西文献，完成《粤西文载》。本书内容按主题分类，包括山川、城郭、官署、学校、书院、宫室、桥梁、祠庙、军功等子目，“皆取其有关政体者，故于形势扼塞，控置得失，兴废利弊，诸大端纪录尤详”，尤其注重记录广西的治理策略与边疆建设。《粤西文载》具有相当高的史料价值和文献价值，为研究广西地方各种历史问题提供了宝贵的原始资料。收录的文章多涉及广西的行政制度、军事防御（如边境治理）及经济发展（如农业政策）情况，为研究古代边疆治理提供了重要参考，也具有重要的现实意义。此外，书中许多散佚的碑刻、方志内容借此书得以保存，如宋代何麟、曾元等人的作品。《四库全书总目》中称赞其“以视全蜀艺文志，赡富不及，而谨严殆为胜之”。与《全蜀艺文志》相比较，《粤西文载》虽然在内容的丰富性上有所不及，但在严谨性上更胜一筹，价值极高。

《粤西丛载》是一部杂史类著作。据研究，自编刻以来，有康熙年间汪氏梅雪堂刻本等。此外还有《四库全书》本、

《笔记小说大观》本。《粤西丛载》现经学者们校注出版，更易阅读与理解。它以短篇笔记形式辑录广西的轶闻琐事，内容涵盖气候、物产、金石、民族风俗、土司制度等，补充了很多正史未载的细节，保存了大量地方志未收录的金石铭文、人物轶事，为历史考证提供线索。其书主要记录了广西少数民族的独特风俗及民间传说，风格生动、资料翔实。《四库全书总目》评价其“虽颇近冗碎，而遗文轶事多裨见闻”。

汪森作为清代著名的学者、文献学家、诗人，以严谨的考据方法，广泛地搜集了历代与广西有关的文献资料，编纂成“粤西通载”，为后世研究广西及以其为核心的边疆治理提供了翔实可靠的史料。他在地方文献整理、文化传承上做出了重要贡献，推动了广西地方文化的研究与传播，在清代文献学上也留下了浓墨重彩的一笔。

孔有德与南明政权争战广西

八年春正月，有德奏移藩属驻桂林，遣蛟麟、国安取梧州、柳州，略旁近诸州县。有德进驻宾阳，复遣国安等分三道进取，定思恩、庆远，明将陈邦傅以浔州来降。明桂王走广南，南宁亦下。

——赵尔巽等《清史稿》卷二百三十四《孔有德传》

孔有德（？—1652年），字瑞图，辽东（今辽宁）人，别名毛永诗（毛文龙赐名），明末将领，后降清被封为恭顺王，又改定南王。

兵起北方，危害一方

崇祯四年（1631年），皇太极率后金兵攻大凌河城，明末名将祖大寿受困城内。明廷兵部令在登州（今山东蓬莱一带）的巡抚孙元化发兵支援关外。孙元化听从调令，派遣孔有德和李应元率领三千人奔赴关外支援，在途中遭飓风而还。随后孔有德又改为陆路进军，未能取胜，愤然在邹平（今山东邹平）驻扎一个多月，率军行至吴桥（今河北吴桥）时，由于此前官兵经常经过并骚扰驿站，吴桥的百姓都紧闭门户拒绝他们进入。士兵们乏食积怨，这时，一名部卒因为抢夺一只鸡与王姓官员发生争执。孔有德责备了这名部卒，士兵们枵腹难耐，提出返回登州请粮，再图进取。李应元与父李九成趁机在演武场将孔有德绑缚起来，并首先提出反叛的计

孔有德画像

谋，孔有德同意其计划，是为吴桥兵变。以孔有德和李九成为首的叛军，率众攻陷山东的临邑、陵县、商河、青城等县，缴获了大量马匹和器械，后掉转矛头向东，大肆抢掠。

孔有德发动的吴桥兵变以及随后在山东地区的劫掠，使得当地社会秩序更为混乱，百姓饱受兵燹之苦，经济也遭到严重破坏，人口锐减，使原本就飘摇不定的明末局势雪上加霜，加剧了社会的动荡。

改操易节，归属清朝

明政府曾欲招降孔有德，不成，集各路军队将其围困登州城。孔有德见登州城难保，于明崇祯六年（1633年）率军突围。四月，孔有德攻破平顺县（今山西长治）。后与耿仲明于盖州（今辽宁盖州）归顺清朝。皇太极派遣军队迎接他们并赏赐马匹等。清廷以其为都元帅，安置在东京（今辽宁辽阳），其部称“天佑兵”。皇太极称帝时，孔有德被封为恭顺王，清军入关后参与清军镇压李自成的战争，被授予平南大将军，与耿仲明征战湖广地区，孔有德为统帅。当孔有德进至广西全州时，南明大臣何腾蛟等人闻风而逃。孔有德还擒获南威王朱寅卫及其子朱载功、长沙王朱由枬、辅国将军朱华等共四十一人，以及众多的伯爵、总兵、司道官员。同年，孔有德班师回朝，并受到清廷大肆奖赏。

进驻广西，命殒桂林

清顺治六年（1649年），清廷改封恭顺王孔有德为定南王，并命令定南王孔有德率领旧兵三千余人，新增兵一万六千九百人，共计两万人，前往广西攻打南明政权，并携带家属驻防。当时清廷尚未统一全国，南方地区有明朝宗室建立的南明政权。清廷赐孔有德一份敕谕，敕谕称："对于因有临阵退缩、延误军机、不遵守号令等行为而应受到处分的武官，你可以根据实际情况进行灵活处理。如果罪责重大到你自己无法处理的程度，可以指明其罪行并上奏朝廷。在地方平定之后，所有与军事相关的事务，都听从你的调度和指挥。而关于民事和财政事务，仍然归地方文官管理，按照原来的方式进行处理。文武官员如果有事情需要见你，都应当按照王的礼仪进行谒见。你接受了这份重任，应当更加竭尽忠诚和智慧。要以礼来约束自己，以廉洁来率领下属。务必维护边疆的安宁，以减轻朝廷对南方的忧虑。这是朝廷的特别诏令，务必遵行。"整份敕谕体现了朝廷对孔有德的信任和期望，以及他作为定南王所拥有的权力和责任。

清顺治七年（1650年），孔有德军抵达衡阳，其后势如破竹，南明的兵力难以抵挡。孔有德军擒获了南明将领郑思爱；击败了兴宁侯胡一青、南明将领马进忠；消灭了永国公曹志健；擒获了军门黄顺祖和总兵林国瑞；同时，还招降了南明将领向文明等率领的五万官兵。这份战报被呈递给朝廷后，皇帝下旨褒奖孔有德。年末，孔有德攻占了桂林府，进攻广西的道路因此畅通无阻。清顺治八年（1651年）正月，孔有德上奏朝廷称，他已经攻克了广西桂林府，在战斗中擒获并斩杀了靖江王朱亨歅（yīn）及其世子等明皇室成员，内阁、总兵等文武官员共计四百七十三人；同时，还招抚二百四十七名官员；缴获的马匹、骡子以及各种器物无法计算。朝廷下令相关部门对这些立功人员进行考察，以便进行封赏和提拔。随后朝廷安排定南王孔有德的官员、士兵、眷属等迁移到广西桂林府驻扎。在驻扎桂林后，孔有德派遣总兵线国安、马蛟麟等人，率领官兵成功攻克梧州和柳州两个府。

清顺治九年（1652年），孔有德麾下的左翼总兵官线国安担任广西提督总兵官这一要职，这意味着孔有德在广西地区的军事指挥权得到了确认和延续。线国安被赐予一等阿达哈哈番的爵位，并兼任一等拖沙喇哈番的官职。马雄被任命为左翼总兵官。当时孔有德向朝廷上报了一份奏折，奏折称，时广西地区的桂林、平乐、梧州、柳州四府已经收复。但还有五个府尚未归顺或收复。为了收复这五个府，孔有德分派线国安、马雄等人，分别率领军队从三条路线进攻。孔有德自己则亲自率领大军，直接抵达宾阳，接应三路军队，以确保整个军事行动的顺利进行。在孔有德的指挥下，思南、庆远等二十二个府、州、县也都被收复，全部纳入了清朝的版图。自此，孔有德几乎占领广西全境。

然而，战场形势瞬息万变。《清实录》记载，清顺治九年

（1652年）七月，南明将领李定国从湖南往下，选择一条隐蔽的小路，快速行军并击败了全州的清军。随后，他逼近桂林，并驱使大象攻城。桂林城内的清军兵力稀少，李定国昼夜不停地围攻。孔有德亲自登上城墙防守，不幸被箭矢射中额头，但他仍然坚持指挥战斗。李定国的军队夺取了桂林城北的山头，从上往下进攻。孔有德知道自己已经陷入了绝境，于是命令家人和随从放火自焚，随后他自己也上吊自杀。他的妻妾白氏、李氏也都在火中丧生。

李定国画像

清顺治十年（1653年），为赞扬他的功绩，清朝廷派遣官员祭祀，并赐予他“武壮”的谥号，随后清廷命令工部给定南王孔有德的葬地造坟立碑。

三藩之乱的平定

甲寅，命吴三桂镇云南，尚可喜镇广东，耿继茂镇四川。

——赵尔巽等《清史稿》卷五《世祖本纪二》

三藩之乱，是清朝初期三个藩镇王发起的反清事件。三个藩镇王即守云南的平西王吴三桂、守广东的平南王尚可喜、守福建的靖南王耿精忠，合称“三藩”。

清朝初立，动荡迭起

吴三桂画像

清朝建立之初，由于八旗兵力不足，难以对抗南明的反抗，加上满族人难以适应南方地区湿热的气候等原因，于是重用明朝降将，分封吴三桂、尚可喜、耿继茂等人为藩王，镇守地方。其中吴三桂镇守云南、耿继茂镇守四川（1660年耿继茂移镇福建，1671年以耿继茂长子耿精忠袭爵）、尚可喜镇守广东。三藩王实力逐渐强大，各自割据一方，在镇守之地嚣张跋扈，大肆敛财，用金钱栽培自己的武装力量，逐渐脱离朝廷的管控，对朝廷造成极大的威胁。此时在位的皇帝康熙深知三藩问题的重要性，决定撤藩。

清康熙十二年（1673年），平西王吴三桂见康熙撤藩心意已决，于是发布讨伐清朝的檄文，宣布与清廷决裂，起兵叛乱，揭开了三藩之乱的序幕。叛乱之初，云南省官员迅速响应吴三桂。吴三桂带领军队由云南、贵州攻进湖南，攻占了长沙、常德、岳州等地，并四处散布檄文，拉拢反叛势力。吴三桂叛乱后，各地割据势力也纷纷响应吴三桂。镇守福建的耿精忠在接到吴三桂的起兵密信后，经过深思熟虑，决定响应吴三桂。耿精忠在铲除反对他的势力后，于清康熙十三年（1674年）宣布反清，并且带领军队兵分三路进攻江西、浙江，并拉拢在台湾的郑经共同抗击清廷。镇守广东的尚可喜原本并不愿意反叛，但清康熙十五年（1676年）尚可喜的儿子尚之信宣布起兵造反，软禁了尚可喜，并将惠州（今广东罗浮山以东一带）割让给郑经，使叛乱范围扩大到广东一带。藩王叛乱给各地百姓带来了极大的恐慌，使社会秩序混乱，严重威胁到清廷的统治。

尚可喜画像

烽火边疆，傅弘烈独挡

广西地处南部，靠近云南和贵州，是军事战略要地。孙延龄原来是定南王孔有德部下之子，娶孔有德之女孔四贞为妻，清廷为了追念孔有德的功绩，命孙延龄为广西将军，管理孔有德的旧部，孙延龄虽无藩王之名，但驻扎桂林，镇守广西省。吴三桂起兵叛乱，牵一发而动全身，各地反清势力不减反增。清康熙十三年（1674年），孙延龄在桂林起兵反清，自称“安远大将军”。孙延龄的起兵反叛让康熙帝猝不及防，但康熙迅速做出应对措施，下令让平南王尚可喜和两广总督金光祖稳定局势。在吴三桂造反后，在广西的傅弘烈也假意跟随吴三桂反清，接受吴三桂“信胜将军”的封号，进入广西泗城（今广西凌云）等土司地区，招募义军五千人后突然移檄宣布讨伐吴三桂。吴三桂愤怒不已，令广西提督马雄去柳州杀死傅弘烈一家以宣泄怒火，然而未遂愿。

后来，由于耿精忠、尚之信投降归清以及清军的镇压，吴三桂进攻广东失败，后来到衡州，派马宝取道宜章，进入广西富川。吴三桂多次威胁要求孙延龄出兵湖南助战，都被孙延龄以“部队不从”为由婉拒。由于孙延龄反清的意图并不强烈，加上

耿精忠画像

傅弘烈的不断劝说，他暗地里决定归顺清朝。但事情很快被马雄知道，并告知了吴三桂。吴三桂秘密让其从孙（实为亲孙子）吴世琮以调解孙、马两家矛盾为由赶赴桂林除掉孙延龄。孙延龄被吴世琮埋伏好的吴军所刺杀，其与孔四贞的孩子也被吴世琮杀害。除掉孙延龄后，吴世琮为了笼络原定南王部属，将孔四贞及其亲属等人护送到了昆明，后派兵留守桂林。至此，广西便处在吴三桂的控制之下。

清康熙十六年（1677年），清廷新任命的广西巡抚傅弘烈得知孙延龄已死，不等清军支援，就率领部队进入广西，攻克梧州，收复浔州（今广西桂平）。同时由清将莽依图率军由封川（今广东封开）进兵，趋贺县（今广西贺州），会同傅弘烈进取平乐。在平乐之战中，吴三桂派吴世琮前去援助，攻破了傅弘烈等部的绿营兵。而此时的清军因不敢渡江，隔水为营，不能救绿营兵。清军甚至一路撤回到梧州，将傅弘烈收复的州县拱手相送。莽依图的临阵退缩，引起了傅弘烈的极大不满。康熙得知此事后，下令让广东的尚之信发动军队，并准备大量的火药、火炮前去支援广西。此时的尚之信虽然已经降清，但是仍然嚣张跋扈。他接到康熙的谕令后，以广东初定，人心不稳，不能轻易离开广东为由不听康熙调遣。康熙为了稳住广东局势，仍安抚尚之信。在康熙调兵增援广西之际，吴军已趁平乐大胜，大举反攻，把清军收复的浔州等府、县陆续夺回。至清康熙十七年（1678年）三月时，广西仅存梧州一府还在清军手中，由傅弘烈坚守。

清康熙十八年（1679年）初，在广西的吴世琮率吴军三路继续追击清军，进逼梧州。清军莽依图、傅弘烈等部水陆并进，在城下三路夹击，大败吴军，吴世琮弃营而逃。清军趁机直赴桂林，继续平定广西其他地方。四月十九日，清军收复浔州，继续西进，包围南宁。十一月，吴世琮放弃桂林，派兵围攻南宁。吴世琮围攻南宁数月，但未等到攻破之时，莽依图率领清军赶到南宁支援。吴世琮负重伤逃走，被迫自杀。至此，广西被清军收复。

三藩乱平，还安于民

清康熙二十年（1681年），清朝三路大军在云南会师，围攻昆明。十月，吴世璠见清军来势汹汹，自知大势已去，自杀而死。其余将领投降，云南叛乱平息。历时八年、波及多个省的三藩之乱终于被平定。

三藩之乱给老百姓带来了深重的灾难，造成了大量的人口死亡，社会动荡不安。三藩之乱的平定，有效打击了地方的割据势力，避免了一次国家分裂，维护了多民族国家的统一。此后，清廷致力于地方行政管理的改革，调整国家行政措施，修复战争创伤，提高军队战斗力，发展生产，缓解社会矛盾。这些措施既巩固了中央权力，又加强了对地方政府的管理，有利于国家加强对西南地区的管理，促进各民族之间的经济和文化交流，推动民族融合。

广西绿营“设”与“裁”

今绿营兵几六十万，而地方有事，即请满洲大兵，虽多仍不足用。推原其故，总缘将官赴任，召募家丁，随营开粮，军牢、伴当、吹手、轿夫，皆充兵数。

——赵尔巽等《清史稿》卷二百四十四《林起龙传》

绿营，为清朝两大兵制之一，以汉兵为主编成军队，称为绿旗兵或绿营兵。《大清会典》记载："国初定八旗之色，以蓝代黑，黄白红蓝，各位于所胜之方，惟不备东方甲乙之色，及定鼎后，汉兵令皆绿旗，是为绿营。"清朝接受并改造了明代镇戍制度，形成清代绿营兵制。绿营武职基本品级结构为提督（从一品）、总兵（正二品）、副将（从二品）、参将（正三品）、游击（从三品）、都司（正四品）、守备（正五品）、千总（正六品）、把总（正七品）、外委千总（正八品）、外委把总（正九品）、额外外委（从九品）；基本营制为标、协、营、汛；基本兵种为马战兵、步战兵、守兵。另有漕标的守御所千总、河标的河营协办守备，京师的巡捕营千总，漕标卫千总，广西地区并未涉及。全国绿营额兵约为六十万。在驻防格局上，有定地分防的特点。

星罗棋布，维护统治

清朝绿营各标、协、营、汛，星罗棋布地分布在各行省，它们交错分布，形成严密的军事控制体系，维护着清廷的统治。

广西绿营额兵浮动于两万二到两万四之间。广西绿营最高级武职官员为广西提督，次级有左江镇总兵和右江镇总兵，再次级有各协副将，一直到各汛的千总、把总、外委千总、额外外委等。清顺治八年（1651年），广西绿营营制具有初步雏形。定巡抚标，设左、右二营，各设游击及以下官；定提督标，设中、左、右、前、后五营，各设游击以下等官；设左翼总兵官、右翼总兵官及各镇标官。雍正、乾隆之后，广西绿营营制始稳定。

根据著名历史学家罗尔纲先生的研究，绿营兵的职能主要有镇守、差役、西北用兵、东南海防、边防、屯戍、河工、漕运、守陵。镇守、边防、差役为广西绿营兵最主要的三项职能。一为镇守，为首要之务，广西辖区范围内的各标、协、营、汛分别驻守在各地的政治、经济中心，或驻守在通衢之处，都是镇守防卫的重要地方。二为边防，右江镇总兵所统辖多数营、汛都与越南相接，这些地方的绿营兵还担任边防重责，守护着边疆地区的安全。三为差役，绿营兵差役繁杂，当地多数差役工作由其负担，例如缉查不法之徒、追

州北塘等凡十一營當庚子之變潰散無餘遂悉裁撤此外各營均十裁其三
復裁將弁三百十四人其大沽六營庚子年傷亡過甚亦全裁之改設巡警三
年直隸綠營尚存官弁七百餘兵六千六百餘實行裁汰惟淮練巡防各營暫
仍其舊四川關外原設台兵向由綠營撥派共三十九台將弁兵丁一律裁撤
福建綠營豫定裁盡年限所節之餉編練巡防隊江西亦擬裁盡綠營甘肅邊
要陸軍尚未成鎮僅存馬步守兵萬七千餘資其防制之力暫從緩裁山西綠
營所存無幾分三年盡裁之江南綠營亦然惟徐州鎮標緩撤山東以全裁綠
營情事窒礙因請緩裁廣東綠營三江崖州二協儋州營督標中營均免裁其
餘十減其四將領五百餘除邊要及兼防營之缺緩裁餘悉停補改練陸軍廣
西綠營自光緒二十九年裁後僅存撫提標將領五或四人兵四五十人左江
右江兩鎮將領各二人兵各二十人此歷朝裁兵大較也綠營積重沿數百年
同治中興以後疆臣列帥懲前毖後漸改練勇巡防之制光宣間屢加裁汰宣
統三年武昌事起陸軍部疏言時局艱危各省綠營巡防隊一律從緩裁撤綠

《清史稿》中关于广西绿营的记载

捕犯罪之人、稽查走私与解送官银、官粮等。另外还有一些特殊区域的绿营兵还承担守护、承催等职责。

绿营兵曾经在维护国家安全和地方稳定上发挥巨大作用。在雍正年间广西各土府改流过程中，皆有广西绿营兵的身影。绿营广泛地驻扎在各地方，社会安定时，严密地监控民众，防止民众出现走私、犯罪的行为；社会动乱时，听从清廷调遣，出征远行，维护着国家安全与社会的稳定。

清廷衰微，绿营改制

绿营坏习气极重，这与绿营兵丁的月饷微薄，差役繁多，难以维持生计有关。不少绿营兵因月饷太少，会兼理其他营生。由此，绿营兵形成偷奸耍滑、推卸责任等习气，在战场上放空炮，甚至借故恐吓百姓以谋取利益，参与赌博、吸食鸦片等。嘉庆以后，民间米价逐渐上涨，清廷时有拖欠月饷，加之武职官员们视贪冒粮饷为常事，绿营则更为腐败。太平天国运动在广西地区爆发之后，以摧枯拉朽之势，击垮了绿营，清廷与广西地方官员们迫不得已着手改革兵制。

绿营与地方勇丁并为清后期广西重要的军事力量。咸丰初年，绿营在正面作战之时，广西团练渐兴。清道光三十年（1850年）以进士补宣化县知县的张凯嵩，于清咸丰元年（1851年）倡办团练，以其能得荐。清廷支持地方以团练的方式发展军事力量，并且把广西横州、博白两县的团练章程广而推之。临桂、罗城、北流等各县大兴团练。广西逐渐形成经制之师与地方之勇并举的军事局面。

但是，“驻防绿营经制也，练勇募勇暂制也”。清廷忌惮勇丁及其背后地方军事的崛起，太平天国运动将结束时，遣散勇丁。大臣们多主张练兵，而不主张养勇。清同治十年（1871年），吏部侍郎胡家玉请将各省勇丁陆续裁汰。

清光绪二十七年（1901年），甲午战败后，清廷改练新军。“谕内阁，前因各省制兵防勇，积弊甚深……将原有各营严行裁汰精选若干营，分为常备、续备、巡警等军。一律操习新式枪炮，认真训练，以成劲旅。”广西绿营遵从清廷的改练新军政策，常备军在“省防新左营”等营中挑练，续备军在“省外各属防营拟就勇数多寡酌行挑练”。巡警军则来自旧驻绿营兵及保甲团练，“各属旧驻绿营制兵及官局保甲城乡团练裁去老弱浮惰，择其精健者，拨归州县钤束，以资弹压缉捕之用，作为巡警军，一律增给口粮，严定操章改习新式枪炮”。云贵总督丁振铎建议将剩余的绿营兵改编进新的巡警队伍中。绿营由国家经制之兵转为巡警之员，在国家机构中的地位与职责发生重要转变。

绿营改革方向不是一蹴而就的，而是慢慢转变的。广西绿营以何种方式改革，地方官员各持己见，有以练军为主的改革方式，“一省内既有练军五营，则向驻省防三营皆可拨往省外握要地方驻扎，合省外共十七营分布防御”；亦有招募亲兵为主的主张，“广西腹地向设防营勇丁，本不敷分布，防范难周，以致匪徒生心，推原布防单薄之故，实由历年挪垫边防营饷，积累深重，饷力不继周顾为难，然彼此时沿边一带犹时赖边军兵力策应，防剿近则边防大军屯驻龙州专司训练……会商督臣增设防营，复将通省绿营奏明裁汰，改令各属地方官招募土著亲兵，规模粗备，意图应急，饷则较绿营原额增多，兵数犹不足相抵”。裁汰绿营兵与勇丁，改练新军，这与清廷主导的改革方向是一致的。

清光绪三十年（1904年），广西绿营兵遭到进一步裁汰。陆军部奏，常备兵额约需三十六镇（新军的建制单位之一），广西为其中一镇，当时广西已经编步队三营，炮队一营，限五年内一律编练足额。《宣统政纪》记载，宣统元年（1909年），广西提督龙济光、总兵陆荣廷“各练新军步队一标，限令明年各将所统旧军，分别汰留”。广西巡抚张鸣岐建议将抚标练兵营、卫队营列入“杂项队伍”，因为他们的主要职责是“护送饷解，巡缉街道”。

清宣统二年（1910年），广西巡抚魏景桐请拨粮饷，这有可能是清代广西绿营的最后一份例行拨派的军事奏折。该奏折详细呈报了绿营年度用款额度，并将司库所支民屯赋税额度、库存银两数目，以及宣统二年（1910年）已征缴与未完成钱粮的具体数据分别造册，呈送户部核查后拨付。宣统三年（1911年），广西绿营被完全裁汰。

摊丁入亩减重负

廷议："五十年以后，谓之盛世滋生人丁，永不加赋。仍五岁一编审。"户部议："缺额人丁，以本户新添者抵补；不足，以亲戚丁多者补之；又不足，以同甲粮多之丁补之。"

——赵尔巽等《清史稿》卷一百二十一《食货志二·赋役》

摊丁入亩，又称作摊丁入地、地丁合一。在摊丁入亩前所诞生于明代的一条鞭法，其内容规定：将各州县田赋、徭役以及其他苛捐杂税总为一条，合并征收银两，按亩折算缴纳。明代后期实行的一条鞭法是摊丁入亩的最初阶段，它规定免行差役可以银两代替，与田赋一起征收，使税赋征收更为简便，同时也减少了无田地者的经济负担，部分地区亦有摊丁入亩的举措，在当时称为随粮派丁、田代丁编或丁随田办。

清康熙五十一年（1712年），康熙帝颁布了著名的“滋生人丁，永不加赋”的诏令，使得丁税的数量成为定额，新增加的人口不必再负担丁税。

清承明制，摊丁入亩

中国自秦汉以来，便有着按人头征税的传统，尤其是对男丁加以苛税，此外，男丁必须服差役。明代推行的一条鞭法，将各类赋税合并，摊入田亩征收。清代延续了这种赋税政策。清康熙五十一年（1712年）规定，依照康熙五十年（1711年）各地所报认定数量为准，固定税额，从此之后“滋生人丁，永不加赋”，将固定下来的丁税直接摊入田亩之中，同时也将其他的赋税劳役合并在田赋中征收。摊丁入亩后，赋税统一以田亩作为征税对象，减少了税种以及简化了征税方式。其具体征收办法大体是以州县为单位，将田赋与丁役一并完纳，田粮多，摊入的丁役就多；田粮少，摊入的丁役就少。但各省的做法又不尽相同，有的摊丁于地赋银，有的摊丁于地粮，有的摊丁于地亩；或全省均摊，或各州府县分摊，有的民田与灶地、屯田分别摊征等。

康熙帝画像

自此之后，百姓们不再有添丁加赋的负担，清代人口出现了急剧增多的状况。此前未被登记入户的百姓也不必为逃避赋税流离失所，极大地规范了人口数量的统计，推动人口的增长。据研究统计，在实行摊丁入亩后，清乾隆十四年（1749年）中国人口数量为一亿多，到嘉庆十七年（1812年）已经增长至三亿多。摊丁入亩这一制度的实行不仅促进了国内人口的增长，更减轻了广大劳动者的经济负担。劳动者获得了较大的人身自由，促进了小农经济的持续发展，推动了社会经济的欣欣向荣。同时，摊丁入亩将赋税种类简化，减少了地方官吏任意增加赋税的可能，一定程度上规范了地方政治行为，维护了社会稳定。

追本溯源，推而广之

康熙帝曾说：我四次到山东，对老百姓的生活情况都很了解。山东和其他省不一样，普通农民都是给有田产的人种地。丰收的时候，有田产的人拿得多，穷苦农民分得少；一旦遇到灾年，穷苦农民自己没有田地产业，身体强壮的到处流浪，年老体弱的就饿死荒野。这反映出，康熙帝早年间巡查全国时，注意到土地分配与人丁之间的不平衡关系，为后期税制改革埋下了伏笔。

最早提出摊丁入亩、按亩征税的是山东巡抚黄炳。雍正元年（1723年）六月，黄炳了解到山东贫民因无法负担粮税而流离失所，逃亡严重，于是便向雍正帝提议："有地则纳丁粮，无地则去丁粮。"在黄炳之后，直隶（今河北附近一带）巡抚李维钧也认为"丁粮偏累穷民"，奏请"摊丁入粮"。在经过雍正帝与各臣子之间讨论斟酌之后，最终批准首先在直隶试行，随后也开始在山东试行。通过试行，摊丁入亩、按亩征税的征税方法取得良好的效果。

在雍正帝的支持下，雍正二年（1724年）至雍正七年（1729年），先后在直隶、福建、云南、山东、浙江等省推行了摊丁入亩政策。但由于当今部分省份属于"龙兴之地"，加之"户籍无定"，直到光绪八年（1882年）吉林地区才实施摊丁入亩，全国范围内的摊丁入亩政策至此宣告完成实施。

"赋役全书"是各个省份征收的地丁钱粮的总册，详细记载有地丁原额，摊丁入亩的政策也清晰地展现在其中。据雍正《广西通志》和嘉庆《广西通志》中所载“赋役全书”，雍正至嘉庆年间，广西人口增加，但以人口数量为标准的“丁额”的变化较小，可见“滋生人丁，永不加赋”的摊丁入亩政策在广西执行得较为彻底。

萬乃改僉派爲雇募多方鼓舞數月而工成大工用雇募自輔始是年禁有司
派罰百姓修築城垛二十九年以山東巡撫佛倫言令直省紳衿田地與人民
一律差徭五十一年諭曰海宇承平日久戶口日增地未加廣應以現在丁册
定爲常額自後所生人丁不徵收錢糧編審時止將實數查明造報廷議五十
年以後謂之盛世滋生人丁永不加賦仍五歲一編審戶部議缺額人丁以本
戶新添者抵補不足以親戚丁多者補之又不足以同甲粮多之丁補之雍正
初令各省將丁口之賦攤入地畝輸納徵解統謂之地丁先是康熙季年四川
廣東諸省已有行之者至是准直隸巡撫李維鈞請將丁銀隨地起徵每地賦
一兩攤入丁銀二錢二釐嗣後直省一體仿行於是地賦一兩福建攤丁銀五
分二釐毫七至三錢一分二釐不等山東攤一錢一分五釐河南攤一分一釐
七毫至二錢七釐不等甘肅河東攤一錢五分九釐三毫河西攤一分六毫江
西攤一錢五釐六毫廣西攤一錢三分六釐湖北攤一錢二分九釐六毫江蘇
安徽畝攤一釐一毫至二分二釐九毫不等湖南地糧一石徵一毫至八錢六

《清史稿》中关于摊丁入亩的记载

垂范百世，福泽后世

摊丁入亩是中国封建社会赋役制度的一次具有深远影响的税制改革，是中国税制史的一个重要转折点，具有重要的历史意义。首先，摊丁入亩废除了自秦汉以来的按照人头数目来征税的税收制度，标志着中国实行了两千多年的丁税被废除，很大程度上减轻了无地、少地农民的赋税压力。由于劳动者负担的减轻，社会经济得到了正向发展。同时，部分因无法担负丁税而未登记户口的百姓也得以登记户籍，免受流离失所的困扰，一定程度上减少了流民、暴民的出现，维护了社会稳定。对劳动力的需要以及劳动者自身所拥有的自由时间，一时间使得清朝人口激增。

清政府推行摊丁入亩的赋税制度改革，这一政策在广西等地区产生了深远影响。作为一项重要的税制变革，摊丁入亩将人头税摊入田赋中征收，不仅减轻了无地或少地农民的负担，也使得政府对户籍的管控相对放松。在此背景下，广西地区的大量农业劳动者开始向手工业领域转移，促进了当地社会经济结构的多元化发展。随着商品经济的活跃，雇佣劳动关系在广西等地逐渐普及，劳动者开始以出卖劳动力换取报酬，传统的劳役制度逐渐被货币化。这一系列变化打破了原有的社会阶层壁垒，促进了各阶层之间的流动与融合。特别是在广西这样的边疆地区，摊丁入亩的实施不仅推动了当地经济的发展，也为边疆地区的开发和社会进步提供了新的动力。

摊丁入亩不仅简化了赋税征收的方式，通过表象看本质，小农经济作为中国封建社会的基本生产结构，土地赋税问题一直与国家经济牢牢捆绑在一起。而摊丁入亩这一制度的实行，将两千多年捆绑在劳动者身上的枷锁解开了。它不仅简化了征税方式，还带动了户籍制度的改革，解放了大量劳动力，人民生活压力减轻，社会矛盾缓和。因此，摊丁入亩本质上是对劳动力的一次解放，是推动社会经济多元化的重要因素。

甘汝来：两袖清风的知府

甘汝来，字耕道，江西奉新人……雍正初，授吏部主事，擢广西太平府知府，三迁至广西巡抚。五年，迁都察院左副都御史。

——赵尔巽等《清史稿》卷三百四《甘汝来传》

甘汝来，字耕道，江西奉新人。据《清史稿》记载，甘汝来于康熙五十二年（1713年）中进士，以教习授知县，补直隶涞水（今河北涞水）知县。雍正初年，授吏部主事，擢升为广西太平府知府。雍正三年（1725年），甘汝来升为广西按察使司按察使，次年升广西巡抚。短短几年时间，甘汝来在广西任上连升数级。

甘汝来画像

起于涞水，广西数迁

甘汝来到涞水县一上任，就着力为民谋取利益：一是请求罢去民间各种杂派银六千两，二是禁止庄田无故增加租税额度、更换佃户。涞水靠近京城，旗丁与百姓杂错居住。旗丁，即满族士兵，在政治与经济上享有特权。旗丁依照国家律例，是不允许行笞打之刑的，甘汝来为打击旗丁不法之举，请求以柳棍鞭打之以示约束。甘汝来执政公允，不畏权贵。有一次，三等侍卫毕里克因公务到达涞水县，居住在平民家中，纵仆行凶，几乎将百姓打死，百姓不服，诉至甘汝来的县衙。毕里克管束仆人不严，不但不知反省，反而自视甚高，率领仆人气势汹汹地来到公堂。甘汝来勃然大怒，毫不畏惧，逮捕毕里克，将其仆人关押入狱，但因此获罪。吏部、兵部、刑部三部会审此案，甘汝来虽据理抗辩，但仍被削夺官职，毕里克罚俸以示惩戒。这样不公平的处理，明显袒护八旗之人。康熙帝知悉此事后，定甘汝来无罪，削除毕里克的官职。甘汝来刚正不阿的名声由此传开来。他还兴修水利，修建白洋淀堤坝，灌溉良田数千顷。

到达广西后，甘汝来尽心尽力，安抚民众，全面处理相关事务，谋划深远。雍正四年（1726年）七月，广西巡抚甘汝来上奏折称：承蒙皇上恩德，以封疆重寄，日日夜夜，殚精竭

江西奉新甘汝来纪念馆

虑，力图绥靖地方，以不负皇上委用之恩。他分析了广西复杂的地形与人群，说广西扶绥事宜，需要次第斟酌处置。比如说粮食的调配，甘汝来上奏称：广西九府二州，在皇恩庇佑下，今春雨水调匀，杂粮皆丰稔。早禾先后登场，俱获有秋。雍正帝了解情况后，喜笑颜开，回应道："深慰朕怀。"但是因为四五月时广东的米谷价格上涨，浔州府、梧州府一带的商贩为获利，在当地收购米谷，售往广东，以致米价逐渐上涨，民生艰难，有阻拦谷船的行为出现，经过甘汝来饬令地方官处理，尚且妥当。雍正帝十分赞赏其处理方式，说："朕已先闻，但万不可遏籴。"由此，两广粮食供应之事，君臣意见达成一致。

对威胁地方安宁的隐患，甘汝来也及时察觉，予以清除。他曾上疏说：芋荚山富有矿产资源，民众时常偷挖，已由广东广西两省的官员分头带兵围堵，聚集挖矿的民众渐次解散，现在正在与总督、提督等地方大员相商善后之策，以求地方将来宁静。雍正帝回应："应再四筹画久安长治之策，毋贻后患于地方。"雍正五年（1727年），在会见皇帝之后，升任都察院左副都御史的甘汝来继续密切关注广西地方情形。他认为广西一地情况复杂，近来他接到广西地方官移交的案卷中，有上林县思吉镇韦兆彪与土舍（官职名）莫元绍争夺土地，以致起纷争，虽已驱拿审究在案，余党已被驱除，首恶已经被监禁，但是从长远来看，这些人都强悍异常，寻仇伺衅，终究没有完全解散。甘汝来一面备查事情始末，一面与布政使、按察使商讨，看如何处理此案才能真正善后，以贻后患。

甘汝来在广西任职期间，正值泗城地区改土归流前夕，甘汝来担任广西按察使时，广西巡抚为李绂、广西提督为韩良辅。泗城地区土司尚未归顺，社会动荡不宁。韩良辅上奏称，天河县（今广西罗城）狱内关押有一人为莫东旺，本来是李绂任内应枷责追赃结案的犯人，拖延一年没有处理，现在被当地土民救去。雍正帝责怪李绂、甘汝来二人有失职之处。又有罗文刚反，接连吞噬十几个村庄，与清官兵对抗，不准设立绿营塘汛，李绂身为封疆大臣，甘汝来时为按察使，未能平定动乱，极为不称职。甘汝来适时奉旨入京，廷臣询问李绂、甘汝来二人，二人皆俯首无词，不敢辩驳。实际上是因为边疆不稳，用兵耗损国库，雍正帝情急之下才出言责怪二人，实非二人不尽心力。甘汝来因此被革职。

久任地方，为民谋利

嘉庆《广西通志》记载，甘汝来用心修建城防工事，在任太平府知府期间，重修镇南关。镇南关，今友谊关，处中越交界之地，又名大南关、界首关，左右石山高耸，直入云霄，是重要的军事关塞。关外不远处有坡叠驿，为安南进贡的必经之地。雍正三年（1725年），甘汝来主持修葺镇南关，李绂为之记。此次重修镇南关，加强了广西边防管理，在军事和交流方面都发挥了重大作用。

此外，任职广西期间，甘汝来还重视文化教育事业的发展，主持纂修雍正《太平府志》，推动太平府乃至广西地区文教事业的发展。

勤慎公忠，两袖清风

甘汝来为官清廉，在官署里办公的时候，突发疾病去世。大学士讷亲带领吏部官员等到其家中追悼。到了甘汝来的家门口，讷亲首先进入，看见一位老妇人在庭院中缝制衣物，以为是家中仆人，遂说道："传报给夫人，尚书在官署突然去世了。"老妇人惊愕，问道："你是谁？"讷亲将自己的身份告知老妇人。老妇人见是朝中重臣，便知甘汝来去世为实，悲从中来，眼泪扑簌簌地流下。讷亲这才知道这位缝衣的老妇人是甘汝来妻子。空空如也、四壁萧条，正是位列尚书的甘汝来家中的真实写照。乾隆帝听闻甘汝来家境清寒，并且没有经理后事的人，便赏赐一千两银，派遣吏部的司官代为料理后事，还派遣一名散秩大臣带领十名侍卫前去奠祭茶酒，谥庄恪。同治八年（1869年），应曾国藩的请求，甘汝来入祀名宦祠。

甘汝来从广西太平府知府任上，短期之内数次升迁，升至广西巡抚，后升任尚书。他苦心经营地方，发展文教，为广西地区的经济和文化发展做出了贡献。

泗城府改土归流

（泗城府）顺治初，为泗城土府。十五年为府。寻改为军民府，属思恩府。雍正五年复为府，改流官，隶右江道。

——赵尔巽等《清史稿》卷七十三《地理志二十·泗城府》

泗城府，包含今天的广西凌云县、乐业县、隆林各族自治县、西林县等，属今百色市的管辖范围。泗城府位于三省交界处，地接云南，毗连贵州，群山绵延，地广人稀。岑氏长居于此，家族人才辈出，如清朝位列总督的岑毓英。泗城府的改土归流是清廷深入管控西南边疆的重要一环。

界连三省，各族杂处

《西林岑氏族谱》记载，岑氏先祖于宋仁宗时期迁徙到广西，不断繁衍生息。至明代，岑氏家族成员已广泛地活跃在广西西部，担任泗城府等地区土司。明清实施改土归流政策，至清雍正年间，泗城府完成改土归流，完全归朝廷中央管辖。

清初，泗城府地区被纳入国家军事重点管理范围中。当时贵州之安笼镇、云南之广南府、广西之泗城府与镇安府，主要是今天广西西部、云南东部、贵州南部三省交界的区域，聚居人群复杂，治理难度大。当一个地方的官府去追捕人犯时，人犯往往逃窜到邻省地方，躲避刑罚，以致案件堆积如山，难以处置。若要巡查缉拿人犯、维护地方安定，必须要统一管理这几个地方。于是，雍正帝采纳大臣建议，计划让贵州安笼镇的将领管理附近地区。理由是：安笼镇地处贵州、广西、云南交界，若该区域统一归安笼镇管辖，并由云贵总督、提督节制，安笼镇总兵可就近调度兵力处理该区域的治安问题，有助于维护包括泗城府在内的地区稳定。由此，泗城府逐渐被纳入朝廷重点管控范围。

泗城府地区山林广阔，物产丰富，小至出产特殊的药用植物，都能影响到地方军事，因此加强对泗城府的管理是十分必要的。雍正三年（1725年），广西巡抚李绂上报了泗城府的毒树铲除事件。当时贵州有毒箭，箭上抹有剧毒药物，可致人丧命。其中最毒药物有两种，一种是草药，一种是蛇药。草药的效用有限，在熬出两月之后，即失效。蛇药却长期有效，一旦熬成，数年仍有效。蛇药也分不同层次，一般蛇药，单用蛇汁，人沾其毒，只是皮肤溃烂，仍有药物可以医治。但是如果在蛇药中加入一种名叫“撒”的药，剧毒无比，箭上涂抹该药后伤人，毒遍周身不能医治，杀伤力极强。传闻“撒”药是一种毒树的汁液滴落石上凝结而成，色泽微红，正是产于泗城府。这种毒树量少，毒液难得，珍稀无比，价如黄金，泗城府土民们为获取巨大的利益，常暗地里获取毒液卖给贵州的土司。为此，李绂等大臣上奏雍正帝，一方面建议寻访此树，认明形状，尽数砍挖，以绝后患；另一方面命加速寻访解治之方。泗城府小小的一类特殊树种，竟然惊动地方大员特意上奏皇帝，可见清廷对泗城府的管控体现在多方面、多维度。

泗城府和平改流

雍正五年（1727年）八月，广西巡抚韩良辅等大臣的系列奏折详细地呈现了泗城府和平改土归流的整个过程。当时韩良辅虽任广西巡抚，但是广西的事宜，多数决于云贵总督鄂尔泰。所以在处理泗城府在内的广西军事诸务时，韩良辅须前往贵州，与当时在贵州的鄂尔泰商量。在鄂尔泰的指挥下，泗城府改土归流进行得十分顺利。此时，泗城府在政治形式上完成了改土归流，但仍有诸多细节需要处理，韩良辅建议泗城府官员，会同贵阳府同知、泗城协副将等安抚泗城土民，清查户口钱粮，进一步推动改流。

鄂尔泰在泗城府改土归流中发挥了巨大作用，雍正帝曾毫不吝啬地对韩良辅指出："当与鄂尔泰商较计虑，资其教益，此人乃当代第一良臣也。"早在雍正五年（1727年）闰三月间，鄂尔泰已闻知泗城土官岑映宸的各种反抗行为。一是据永宁州（今贵州关岭）蔡维申称，岑映宸差遣土役十余人各自执

鄂尔泰画像

有器械越界缉拿犯人；二是普安县知县翟鹏佳禀称，与泗城土府会勘界线时，岑映宸不肯清还所占地界，还想吞并其没有占领的地方，每日率土兵数千人故意耀武扬威，有恐吓之意；三是安笼镇总兵蔡成贵也报称岑映宸借会勘之名，率领土兵四千多名，分七营驻扎，又于贵州购买米粮，储存军用物资，并且借口开挖鱼塘，修筑壍壕等工事。鄂尔泰综合分析情形后，认为泗城府土司虽然承袭数百年，与清廷用兵收复的乌蒙镇雄土司相比，富饶数倍，但是判断岑应宸必定会审时度势，缴印献土，不会步乌蒙镇雄土司的后尘，无须用兵或能解决泗城府改土归流之事。六月初，鄂尔泰抵达安笼镇，岑映宸先是请求从宽处置，过了几日后“始缴印信号纸求免死存祀”。雍正帝见奏，大喜，“可喜可庆之至，朕未料如此平平完结也”。至此，泗城府实现和平改流。

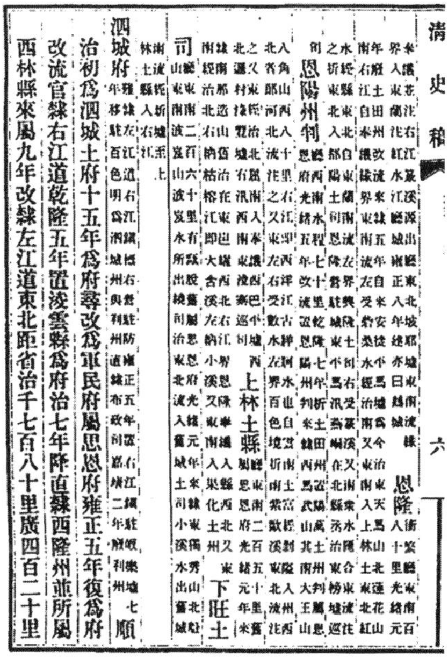
清史稿 六

恩隆

恩陽州判

上林土縣

下旺土司

泗城府

治初爲泗城土府十五年爲府尋改爲軍民府屬思恩府雍正五年復爲府

改流官隸右江道乾隆五年置凌雲縣爲府治七年降直隸西隆州並所屬

西林縣來屬九年改隸左江道東北距省治千七百八十里廣四百二十里

《清史稿》中关于泗城府的记载

泗城府改土归流后“酌设营、汛”，指的就是绿营在当地的驻守与布防。雍正五年（1727年），裁原管泗城府地区的泗城协副将，改右江镇总兵官。具体的营制为：左、右二营各设游击以下将领八人，兵一千六百名，拨抚标兵一百六十名。改设隆林营，设游击以下将领五人，兵七百名。扩大原有的泗城协管辖范围，泗城协驻扎泗城府，与黔地接壤处旷远无兵防汛，且西隆州、西林县两营额兵共三百名，远在思恩九土司及土田州泗城土府之外，导致一切军务至柳州提督处请示往返耗时数月。右江地区倍于左江地区，应设一镇，此为右江镇的军事部署考虑。而原安隆营的改并，是泗城府地区军事部署的细化升级。安隆营改为隆林营，其原设上林守备营兵丁归隆林营管辖。因武职易制，文职改弦并行，西隆州改为直隶州，就近管辖西林县。右江镇的新设与隆林营的新并，加强了泗城府地区的军事管控。

土司土民，家国一体

雍正六年（1728年）剿除西隆州颜光色势力，是泗城府整体改土归流过程中的重要事件。这次清廷的大规模用兵，稳固了泗城府地区改土归流后的政权。颜光色初叛时，因广西提督田畯办理未尽周详，仅酌拨汉土官兵一千名，令游击常显虎带往剿捕，再拨田州土兵四百名。又经右江镇总兵官段宗岳行调思恩协千总一员，兵一百名；移调左江镇标游击一员，千把二员，兵三百名；带领该镇标千把三员，兵一百八十名。于六月时驻扎，共两千余名。广西官兵未经训练，多半临阵畏缩，而右江镇之兵又系新募，不谙纪律，清廷官兵多有死伤，且无进展。据记载，当时前后共用汉土官兵达九千名。用兵额数如此之多，与差遣多为土兵、土勇有关。安笼镇总兵蔡成贵的出兵中，兵三百五十名，土兵七百五十名。土目陆尚安、陆尚贵等带领土勇两千名，广南已革土同知侬绳英之子侬振裔选带土勇二千名。另有五曹土兵三百名。据粗略统计，土兵、土勇就占出征官兵人数的一半以上。在贵州安笼镇、云南广罗协、广南营营兵及广南府等地土兵、土勇等联合支持下，八月二十九日叛乱始平。土兵、土勇、土目等在改土归流过程中功不可没。

泗城府的顺利改土归流，还受到其他地方土官的影响。雍正六年（1728年）二月初六日，两广总督孔毓珣上奏，在请求土官协助丈量归顺的公田一事中，说到广西归顺土知州岑佐祚将公田苗价银六千五百两归公充饷，此项公田本是岑氏一族的世袭产业，岑佐祚年幼就世袭了土官的职位，而母亲许氏行止不端，私用印篆，把田分给了与她亲近、私交甚好的头目，久而久之，田就被头目霸占了。岑佐祚生性较为懦弱，头目强悍不已，被霸占的田不能清回，往往导致双方争论不已，诉至上司。岑佐祚与头目之间的田土纠纷多且复杂。孔毓珣考虑到流官知府恐怕不熟悉土俗事宜，而土人性情难测，还需要依靠本地人处理较为妥当。田州的土知州岑应祺是非常适合的人选。岑应祺办事积极又熟谙土情，如果委任他协助办理公田之事，倘若有当地土恶势力的阻扰，也更好处理。处理公田之事本质是利益的再分配，面临的阻力巨大，任用当地土官协助，充分显示出土官在国家治理地方中不可或缺的地位，推动改土归流政策的实施。

泗城府改土归流，是清廷与当地土民的双向作用的结果，是统一多民族国家治理的重要历史过程，有力地推动西南边疆地区与内地一体化进程，促进当地社会经济、文化等各方面的发展，加速了民族大融合。

西粮东送：两广粮食的贸易协同

且广西斗米五十钱，谷贱莫甚焉。夫其贱非诚多谷也，正以生齿不蕃，食谷不多耳。田家自给之外，余悉粜去，曾无久远之积。富商以下价籴之，而舳舻衔尾，运之番禺，以罔市利。

——周去非《岭外代答》卷四《常平》

广西地区广泛种植水稻，水运交通发达，便于发展粮食贸易。“西粮东送”，即将广西的粮食输送到广东，这一现象由来已久。两广之间的粮食贸易，既有民众的自发参与，亦有国家的总体调控，在均衡两地之间的粮食供给过程中，发挥过重大的作用。

“西粮东送”，均衡需求

广西之粮食供给广东的历史悠久，宋朝《岭外代答》记载：“且广西斗米五十钱，谷贱莫甚焉。夫其贱非诚多谷也，正以生齿不蕃，食谷不多耳。田家自给之外，余悉粜去，曾无久远之积。富商以下价籴之，而舳舻衔尾，运之番禺，以罔市利。”

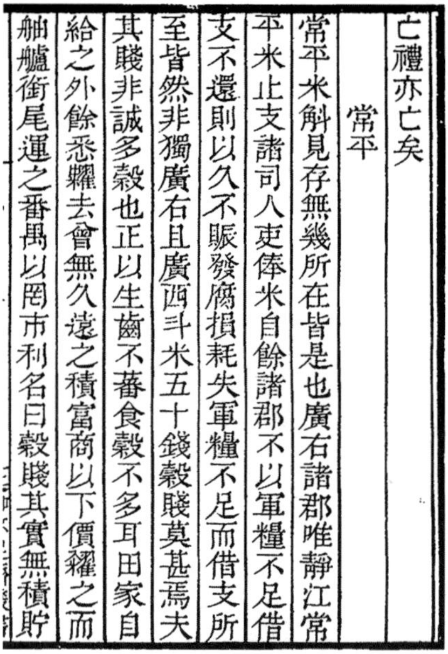
亡禮亦亡矣
常平
常平米斛見存無幾所在皆是也廣右諸郡唯靜江常平米止支諸司人吏俸米自餘諸郡不以軍糧不足借支不還則以久不賑發腐損耗失軍糧不足而借支所至皆然非獨廣右且廣西斗米五十錢穀賤莫甚焉夫其賤非誠多穀也正以生齒不蕃食穀不多耳田家自給之外餘悉糶去曾無久遠之積富商以下價糴之而舳艫銜尾運之番禺以罔市利名曰穀賤其實無積貯

《岭外代答》中关于广西粜米的记载

随着社会的稳定，加之康熙年间“滋生

人丁，永不加赋”的规定，人口急速膨胀。人口增长后，粮食问题也日益突出。人口分布的不均衡导致粮食越来越依赖区域性的调整，“西粮东送”尤为频繁。雍正初年，广东归善（今广东惠州）等十一县受灾，滨海地带被水淹没，秋收微薄，民食维艰。时任广东巡抚杨文乾忧虑灾害影响民生，急将情况上奏，请求朝廷予以赈恤。清廷以民为本，迅速给予反馈：让广东、福建二地的总督和巡抚们设法接济百姓。至于具体该如何运送粮食赴广东备用，以及杨文乾所奏广东滨海之地被水受灾之事，一并令大臣们讨论。大臣们在通盘分析广东、福建的受灾情形后，建议先拨广西桂林、梧州等六府所存的捐谷三十万石，运到广东，收贮存储以备赈灾。此建议合理可行，得以批准。

“西粮东送”在广东的粮食供给体系中至关重要。早在乾隆年间，广西就建立有“备东谷”的制度。乾隆二十四年（1759年）规定：广西在常平仓额谷之外，另外在盛产粮食的桂林、平乐、梧州、浔州四府存储谷十万石，以备广东平粜之用。原来广西所产之粮食有余，依靠商人之贩运接济广东。上年因粮价昂贵，已拨广西常平仓谷十万石接济广东。广西粮食供给有余，广东相对匮乏，常备东谷，可平衡二省供需，地方官遂奏请成为定例，得以批准。于是，广西在常平仓原额外加储十万石作为“备东谷”。后曾略微调整存谷的地点，但十万石的数额不变。到了嘉庆年间，“西粮东送”仍然进行。嘉庆十年（1805年），两广总督那彦成奏：广西拨运广东之粮食，有的是值广东粮价腾贵之时用以平息物价，有的是因为广东粜谷不足产生缺额，借广西粮食来补足，这些本都是随时通融办理的政策，但如果成为一种定例，反而会影响广西民间粮食供给。于是，清廷下令如果遇到广东省粮价骤然上涨的时候，仍然按照之前的规定，实施“西粮东送”，其余时候，须保障广西本省粮食充足。

民情相异，东商西耕

发达的水系是“西粮东送”的交通条件。珠江流域的干流西江横贯两广，成为两广之间交通运输的大动脉。在海运发展起来之前，以西江为主的密集水系是西南地区货物从广西到广东的主要路径。西江水系范围内的广西浔州府、梧州府、柳州府等地皆有稻米出，部分州、县粮食充裕，既可自足，富余时又可挑至圩市，米贩们采买足量后，即可沿江而下，运至广东售卖获利。

“西粮东送”还深受两地的地理环境、社会风俗影响。据清朝屈大均《广东新语》，广东本也是盛产稻米之地，稻米一年三熟，冬种春熟，春种夏熟，秋种冬熟；其地濒临海洋者，田土非瘠薄的盐碱地，加以潮汐之膏、鱼虾之肥，农作物生长过程中打理简便，稻禾尤其容易生长成熟，收成不错。广东的自然地理环境与气候，就农业生产来说较为优越，为什么还要仰赖广西的粮食供应呢？这跟土地的充分利用与否直接相关。

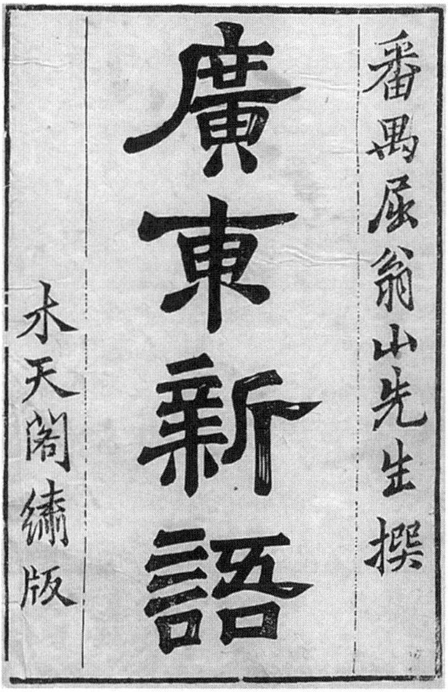
番禺屈翁山先生撰
廣東新語
木天閣繡版

《广东新语》书影

首先，广东田土并没有完全被开垦出来，野外多有荒地，耕作人少，流浪者众多。其次，广东经济发达的县的百姓，都喜好经商，不注重务农。从南来北往的经商活动中获取的利益远高于在本地勤恳耕作田地所带来的收获。凭借着发达的水运体系，广东的省会广州，向来货物云集，有香、糖、果、箱、铁器、藤、蜡、番椒等。广州之人，北走江西、浙江，西北往长沙、汉口，还有人前往日本开拓海外贸易，往来之间大获其利。相较以贸易为生的商人，以农桑为业者力苦利微，耒耜遂遭弃，农业不发展，粮食自然不充足。因此，广东粮食多仰赖广西。

“西粮东送”的兴衰

“西粮东送”一度影响了广西地区的粮食供应。对此，广西官员颇有微词。雍正五年（1727年），广西巡抚韩良辅奏称：广东地域广阔，人口稠密，多仰赖于广西的粮食供应。韩良辅认为身在广东之人，追求利益，不耕种稻禾，多偏向追求龙眼、甘蔗、烟业、青靛等经济作物带来的巨大收益，百姓富裕了，粮食却供应不足。广西地力贫瘠、人烟稀少，建议其所产的粮食不再运送到邻省广东。官员们的抱怨，朝廷自然不能忽视，雍正帝知悉情况后令广东百姓务本业，尽力农田，种植稻禾等主要农作物，不要舍本逐末去种植其他作物，也不要畏惧农事艰辛；至于园圃果木之类，应当在地力富余的情况下耕种。总之，雍正帝部分认同韩良辅对广东产粮少的原因分析。当时杨文乾欲运广西之粮至广东，韩良辅又想要留存粮食于广西，遂产生争吵，雍正帝以一省粮食不够用，邻省自然要接济的成例之理由，坚持调粮，并阐明有与无之间要相通的道理，说明广西地区的粮食还是要通融接济广东，以保民生。

韩良辅禁止广西粮食流通至广东的建议，后续得到一些广西官员和百姓的支持。此后在粮食供应不足、粮价上涨之时，广西之粮会偶尔有禁止流出，以保障本地供给的规定。乾隆八年（1743年），广西巡抚杨锡绂奏称：广西各地方米谷，偶尔有价格昂贵之时，但是本地种植杂粮亦多，有望丰收，可缓解供应不足的问题。为应对粮价上涨，民间采取措施，自设乡禁，令本地的米谷不流向外地。与此同时，官员在梧州江口往来督查，如果是零星小贩买卖米谷的，就听任其流通，如果是贩卖多者，酌情进行抽买，以充实官府的仓储，这样既能存贮粮食，也能在一定程度上维持粮食贸易。两广之间官方与民间灵活的调配手段有效地缓解了当时广东的粮食短缺问题。

为满足广东的粮食需求，加之朝廷坚持互通有无原则，广西官员亦未完全禁止“西粮东送”。乾隆三十七年（1772年），护理广西巡抚布政使淑宝奏称：广西桂林府、平乐府、梧州府、浔州府四府属贮存备有谷十万石，以接济广东。广东所产之谷往往不够，常需广西接济。现在查广西水运便利的州、县，每年春夏之交的时候，应粜卖息谷七千余石。息谷，是官方放贷于民，秋收时民众所偿还的利息。常平仓所贮存的谷物额数，足以供平粜。请求将广西这些富余的息谷，在广东需谷之时，拨运至广东。这一建议得到认可。

广西各州、县所备东谷，有时可缓解当地歉收年粮食短缺问题。乾隆四十四年（1779年），广西巡抚吴虎炳奏称，马平、象州两县没有储备东谷的惯例，这两处地方上年受灾，收成有歉。桂平、武宣、平南三县俱备东谷，且与马平、象州两县距离近，一水可通。于是请求将武宣所备东谷三千五百石，桂平所备东谷四千五百石，拨给马平；平南所备东谷五千五百石，拨给象州。

随着太平天国运动的爆发，两广尤其广西地区备受兵燹（xiǎn）之灾，民生凋敝，民众不能再安心地耕作土地，导致田地荒芜，粮食的生产逐渐稀少，加之海运发展起来，盛极一时的“西粮东送”也随之没落。但不可否认，“西粮东送”一度缓解了广东粮食紧缺问题，促进了广西与广东的经贸往来。

金鉷：讲究实干的广西巡抚

金鉷，字震方，汉军镶白旗人，世居登州……雍正五年，擢广西按察使，寻迁布政使。六年，就擢巡抚。

——赵尔巽等《清史稿》卷二百九十二《金鉷传》

金鉷（hóng），原名郭鉷，嘉业堂钞本《清国史》记载：“金鉷，镶白旗汉军人，由监生授山西广昌县知县。”雍正五年（1727年），擢升为广西按察使，不久升为广西布政使；雍正六年（1728年），授广西巡抚。金鉷任职广西的时间主要在雍正中后期，直到乾隆元年（1736年），能实心任事，稳定地方社会，鼓励矿产资源的开采，为地方的经济发展做贡献。

调整区域规划

经济的发展需要稳定的社会环境。金鉷任职广西期间，审视情形，因地制宜，积极运用行政方式管理地方，及时调整行政区划与人事制度以推进国家政权的稳固，为经济改革奠定基础。雍正六年（1728年），金鉷上疏就思明州（今广西宁明）管理权限问题提出建议，认为思明州地方狭小，不需要专门设置流官。原管理思明州的思明知府是土司，没有统辖流官的经验，将思明州划归太平府更为适宜。宾州所属之武宣县，顺流直达浔州府，其水路距离不过二百多公里，但是武宣距离宾州，地遥路远，建议将武宣县划归浔州府管辖，这样才不至于耽误公务。这些建议都得到了采纳。雍正十年（1732年），金鉷改广西右江道原辖之镇安府，归为左江道管辖，并且划拨南宁府之湖润寨以及下雷土州归镇安府管辖，不仅改变了镇安府隶属，同时扩大了镇安府管辖范围，减轻了右江道的治理压力。

方爲盡善下大學士等如所議修濬八年調江南江西總督復召至京師命從
怡賢王勘定太平峪萬年吉地進世職三等阿思哈尼哈番命署雲貴廣西總
督十一年普洱屬思茅土把總刁國興糾苦葱蠻及元江夷爲亂攻普洱通關
大寨猓夷復附苦葱蠻應阿墨河攻他郎其倬檄提督蔡成貴等分道捕治擒
其酋並所屬五百餘亂乃定是歲春命其倬回兩江總督秋命以總督銜領江
蘇巡撫十二年坐徇知縣趙崑理假海塘工欵部議降調卽授江蘇巡撫乾隆
元年召還京師復授湖北巡撫調湖南討平城步綏甯二縣猺亂三年擢工部
尙書調戶部其倬詣京師道資陽疾作卒於舟次賜祭葬謚文良金鉷字震方
漢軍鑲白旗人世居登州父延祚從世祖入關官至工部侍郎鉷初自監生授
江西廣昌知縣游升山西太原知府雍正五年擢廣西按察使尋遷布政使六
年就擢巡撫討平西隆州八達寨叛苗以汛兵少粤土瘠不治奏開屯田與民
牛招之耕教以技勇每名給水田十畝一畝爲公田旱田二十畝二畝爲公田
存公田租於社倉行之數年闢田數萬畝倉廩亦實又奏請召商開桂林屬諸

《清史稿》中关于金鉷的记载

古代州、县管理权限的再次划分，多与社会结构变迁、自然环境变化等有关。南宁府属之隆安县、新宁州，向来是调缺。所谓调缺，是清代官制中的一种官缺类型。通常由地方督抚从品官中拣选补任。雍正时期，广西人口持续增加，已呈现出稠密之状。民众不断垦荒种地，地方面貌焕然一新。为充分考虑广西的地理气候与官员们身心健康之间的紧密关系，金鉷声称南宁府、庆远府等处，所有的知府、同知、通判、知州、知县二十三缺，以及新设庆远府同知一缺，应全部归入到调缺题补，达五年俸满之时，就可以升迁。水土条件最为恶劣的太平府、泗城府等处，有太平府通判、泗城府知府、泗城府同知、西隆州知州、西隆县知县五缺，酌情缩短任职官员的考核年限，三年俸满之时，就可以提拔。沿边之地，风土与内地有差别，时八达寨地方动乱频起，大兵方歇，急需合适的官员治理地方。金鉷对此进一步提出，太平通判等缺在俸满推升之后，能够体察民情且处理地方事务稳当的人才，可再留三年。在吏部等反复讨论后，决定五缺俸满后，准许以应提拔的官缺补用，如果升用之员愿意继续留在当地效力的，或者是本地方一时难以找到熟练官员补用的，就在奏报之后留用。以维护地方安宁、满足人才需求为出发点的官员选任制度调整，既有益于地方的治理，又有利于官员的发展，两全其美。

金鉷任广西巡抚期间，于雍正七年（1729年）四月，移广西思恩府（今广西环江毛南族自治县一带）同知驻土田州。八月，移广西宜山县县丞驻楞村。在改变原有的政治地理中心之余，加强地方的军事巡查。同年添设有桂林府永宁州喇峒巡检一员、南宁宣化县三官堡巡检一员、横州大滩巡检一员；改贵县辛安寨巡检为五山汛巡检，驻扎陆村；移平南县大同乡巡检，驻大乌墟。全州所属之西延司，民情复杂，需重点管治，原来只设有巡检一员，不足以弹压，金鉷请移本州的州同驻扎替代巡检，全州则添设州判一员。

发展实业，重视文教

与其他官员关注农业和人口不同，金鉷十分注重矿产等重要资源的开采。桂林府属的涝江等处富有矿产资源，金鉷为促进当地经济的发展并增加财政收入，绞尽脑汁，向上级请求准许地方政府招募本地家境殷实的商人，让商人自己筹集资金，以开采矿产。开采所得的矿砂，十分之三的份额交给官府，十分之七的份额准予商人自由买卖。募商采矿，利用官方掌握的丰富资源，积极引导商人参与开发，国计民生均有利处，这样一举两得的建议，朝廷没有反对。清朝时，广西梧州府芋荚山还拥有丰富的金矿资源，事关重大，金鉷请求另外再派遣官员管理。此外，金鉷称，广西地方贫瘠，铜器生产稀少，如果开采出铜矿，也一并请予给价买入，以供冶炼金属、铸造钱币或器物。在金鉷任职期间，广西矿产资源的开采与利用程度进一步提高，促进了当地的经济发展。

教育具有教化之用，金鉷也甚为关切。泗城府、镇安府以及都匀府的荔波县、东兰州，太平府的宁明县，这些地方多位于两省交界处，或处边境，以前没有应试童生。金鉷任职广西期间规定：外省及本省其他府州的人，愿意加入这些地方户籍的，在查证之后，没有什么过错及犯罪者，准许编入，让他们以新入籍贯参加官员的选拔考试。倘若中举，不得再回原籍。这一措施，间接促进了地方文教事业的发展。雍正十一年（1733年），镇安府得以建府学，金鉷功不可没。时镇安府已经改土归流，金鉷建议置府学。建立府学，是一项不小的工程，除选址建立学校外，还要添设教授一员，同时定取进文武童生额数。泗城府原来取进童生，是没有定额的，此后参照镇安府之例，定文武童生十二名之额；东兰州、归顺州都是新改流地方，也设学正一员，取进文武童生各四名；宁明州管辖的思明土府，参照州学例，裁撤教授训导诸缺，设学正一员，取进文武童生各十五名；梧州府北流县，因改隶郁林直隶州，增取文武童生各四名；添设广西崇善县学廪生、增生各四名。这些举措扩大了教育对地方的影响。

虚报垦荒，仕途污点

金鉷颇有实干精神，但是醉心仕途的他也引来了祸端。谷物的丰收与否，是清朝统治者检验地方官员政绩的重要方式。金鉷任广西巡抚之际，正是雍正帝统治时期。雍正七年（1729年）末，贵州巡抚张广泗进呈贵州瑞谷。瑞谷产量高、品质好，雍正帝龙心大悦。同时金鉷也上奏称广西该年全省丰收，谷价低至二钱至三钱二三分之间，雍正帝赞曰“乃粤西未有之事”，对封疆大臣们殚精竭虑治理地方的政绩予以认可。迎合雍正帝喜好报送祥瑞，以期仕途平顺，官员们尤为擅长。雍正十一年（1733年），金鉷上奏称鬱（yù）林州所属之富民乡藤蠡（lí）坡，突然涌出瑞泉两处，水流甘甜，清澈透明。难能可贵的水源，足以灌溉农田面积三千余亩，不可不视为祥瑞。雍正帝虽然一再强调自己并不偏好祥瑞，但如今瑞泉突涌，实在是上天福佑国家，便让金鉷择取善地，建立祠庙，祭祀泉源之神。泉涌乃自然现象，被穿凿附会成祥瑞以迎合皇帝之喜好，实属可笑。

雍正帝画像

雍正末年，广西巡抚金鉷与提督霍昇前往贵州治理事务，二人生隙。霍昇上奏称金鉷浮躁轻狂，言语失实，得意骄傲，有失封疆大臣的风范。新任的乾隆帝不喜金鉷，说他原本就不太有风范，不是因为霍昇上奏才知道的。所以后来乾隆帝就指责道：我以前奉父亲的命令去办理贵州事务的时候，见到金鉷陈奏的事情非常多，我即位后一两个月内金鉷也连奏事件，但如今半年以来，却不见他再奏一事。金鉷作为巡抚，管辖地方，全省事务繁多，怎么会半年之久了，地方民生吏治竟然无一可陈之处呢？他是存在观望态度，私自揣摩我想要清静，所以缄默不言吗？这实为迎合之举。作为一名大臣，就应该忠心地为国尽力，只需谈论事情，没有必要乱想。由此可见，乾隆帝对金鉷是有一定看法的。加之金鉷有虚报广西开垦田亩数之事，后被革职。乾隆五年（1740年），金鉷被起用为河南布政使，后于四月病故。

金鉷在广西任职期间，正值清朝全面地开展改土归流之际，他的个人际遇正是西南巨变的写照，通过金鉷执政期间治理地方时的策略调整，包括广西在内的地区民族融合过程得以清晰地展现出来。同时，金鉷尽心筹谋、通盘考量，实施了不少促进广西地方安宁与经济发展的有效措施，为清朝前期广西地区的社会经济发展做出了一定的贡献。此外，金鉷十分有才干，提出划分州、县的“冲繁疲难”标准，朝廷均予以采纳，深远地影响着清朝的管理制度。

陈宏谋：清代官位最高的广西人

宏谋外任三十余年，历行省十有二，历任二十有一。莅官无久暂，必究人心风俗之得失，及民间利病当兴革者，分条钩考，次第举行。诸州县村庄河道，绘图悬于壁，环复审视，兴作皆就理。察吏甚严，然所劾必择其尤不肖者一二人，使足怵众而止。学以不欺为本，与人言政，辄引之于学，谓："仕即学也，尽吾心焉而已。"故所施各当，人咸安之。

——赵尔巽等《清史稿》卷三百七《陈宏谋传》

陈宏谋（1696—1771年），字汝咨，号榕门，广西临桂（今桂林）人，雍正元年（1723年）进士，后官至东阁大学士，位极人臣。他学识渊博，深受儒学熏陶，推崇理学，是清代官位最高的广西人，著有《培远堂全集》等。

陈宏谋画像

崇尚理学，展露经世之才

理学，被称为道学，也被称为义理之学，是宋、元、明时期儒家思想学说的通称。当时清代学者受学术风向与政治的影响，转而研究经典，重视考据和训诂，形成所谓朴学，也称汉学或者考据学。考据学在清朝中期到达鼎盛，形成乾嘉学派。理学或者考据学，都是儒家思想与学说不同历史阶段发展的不同呈现形式。陈宏谋生活在乾嘉学派繁荣的初期，不同于清代考据之风盛行下学者们的专意学术，他崇尚理学，强调经世致用，遵守严谨的学术与道德规范，躬亲实践，为官期间积累了丰富的地方治理经验，为所任地方谋得切实利益，成为清代经世思潮的先驱者与践行者，也成为一名为后人所赞誉的理学官员。

理学塑造了陈宏谋勤俭的个人习惯与实用的处事作风。首先，陈宏谋在生活上非常节俭。据说他在做吏部尚书时，在一

广西临桂陈宏谋故居

些呈交给他的文书中有空白的纸，他都加以收集，重新利用，勤俭节约的程度可见一斑。陈宏谋平日里勤于公务，诗人袁枚描述他“终日刻厉，几无微闲”。其次，他强调学以致用，“知行合一”。在《学仕遗规》中，陈宏谋写道：“道统物我，学兼知行，成己即所以成物。自学者不求明乎此，不求行乎此，故不堕于虚寂，即流于迂腐。因学之无用，遂以道学为诟病，此亦大不可解者。”儒家“物”的概念含义相对复杂，既可指自然事物，亦可指仁、义、礼、智、信等道德标准，又可指国家兴衰。陈宏谋坚持的观念在于：学“知”必须兼“行”，才能成就人的内在修养，必须知行合一，学以致用。最后，他不遗余力地将理学家的学术研究、道德坚守与实际经验完美地融合起来，具体体现在他个人主张并践行的为政措施上。

在理学引导下，陈宏谋注重实践，经世之才充分显露，深受朝廷器重，任职多地。早期在京城，他先后出任扬州、云南、直隶（今河北一带）、江苏等多地官职，又陆续担任陕西、甘肃、湖南、江苏、河南、湖北等多省巡抚，还曾任湖广总督、陕甘总督、两江总督，足迹遍及全国将近半数省份，在治理河道、缓解旱情、赈济灾荒等方面卓有成效。乾隆中期，陈宏谋回京城升任尚书，陆续担任兵部、吏部等部尚书，清乾隆三十二年（1767年）补授东阁大学士；乾隆三十六年（1771年）病逝。

全力支持家乡事业

陈宏谋对家乡文教事业相对落后的情况尤为焦虑，曾请设粤中观风整俗使。据陈钟珂《先文恭公年谱》记载，当时广西学政卫昌绩有感于地方风俗亟须整治，因福建已经有先例设有观风整俗使一名，所以请求照例在广西地区设一名。陈宏谋当时在京城任职，虽然京城与家乡距离遥远，但他密切关注广西的文教事业。卫昌绩请于广西设观风整俗使后，陈宏谋也上疏请设该官职。虽然请求被驳回，但是请设观风整俗使的过程反映出陈宏谋意欲推进广西地区的文教建设。此外，陈宏谋对家乡的粮仓储备管理、排涝灌溉的水利工程乃至书籍的储备等事务都十分上心，竭尽全力帮助家乡百姓。

陈宏谋对家乡的关切，甚至超脱于对个人仕途发展的关心，雍正至乾隆时期的广西开垦土地事件最能体现他的这种关切。雍正年间，金鉷任职广西，在广西垦田亩数上出现虚报情况。金鉷本为实干型官员，为广西矿业的发展与地方的稳定做出了诸多贡献，却因虚报垦田亩数而受诟病。除广西提督霍昇、广西巡抚杨超曾相继参劾金鉷外，陈宏谋也力陈广西虚报垦田亩数的弊处，即“田不加多，而赋将益重”。虚报垦田亩数导致广西百姓赋税额度突增，于是陈宏谋将广西开垦不实的情况尽数上报。土地的开垦，虽然是有助于广西地区社会经济的发展、增进国家税收的有益之举，但实施过程中冒进的行为，使得政策改变，转而成为百姓的负担。更为严重的是，金鉷因上报给朝廷的田数为虚额，逢朝廷下旨意让地方清查，不得以荒为熟、以虚为实时，他就借清查的命令，立期限办，意图使百姓报出一些暗地里开垦却没有上报国家的土地，来抵原来虚报的开垦田数。广西地力本就贫瘠，产出情况比不上有富饶土地的地区，百姓暗地开垦才能勉强维持生计，金鉷的政策又增加了民众的负担。雍正帝过于注重以土地开垦多少来衡量地方经济是否发展，结果适得其反，各省相继出现了谎报亩数的情况。

不久，在新继任的乾隆帝和大学士朱轼的主导下，朝廷加大了对上报垦田亩数的核实力度，并将其中虚报之数予以清除。陈宏谋的建议与中央力主推行的土地政策是相同的，金鉷后来也遭到了革职处理。但这与陈宏谋预期的结果还有一定差距，他欲彻底清除谎报垦田亩数的弊端，于是再次请求“查系实在新垦成田仍入册□□，其余熟田内之新粮概予开除”。乾隆帝恼怒，以陈宏谋身为云南布政使言广西之事，怀疑他为地方乡绅所裹挟，议降其三级。陈宏谋在广西垦荒事件中的坚持不懈，显示出他对家乡有着非同一般的感情。为百姓谋取利益，有着坚定的政治主见，“以民心为己心”，这也是他后来起复的重要倚靠。

亲密的家庭关系

儒家的伦理精神也塑造了陈宏谋的家庭观念。陈宏谋与家庭成员之间的感情深厚，在其五岁的时候，受教于年长自己二十岁的哥哥陈宏諴（xián）。陈宏諴在地方上开馆教书，陈宏谋一直跟随其学习。在《培远堂全集》中，陈宏谋为纪念自己的哥哥陈宏諴而作有《伯兄容庵传略》。陈宏諴，字汝和，号容庵。陈家祖上是明末避难而入广西临桂的，传到陈父一代，仍以耕种为业。但陈父喜爱读书，不遗余力地为家中子弟延请名师教导，家中读书氛围浓厚。在父亲的支持下，陈宏諴亦耕田读书，康熙三十五年（1696年），也就是陈宏谋出生之时，得“补弟子员”。弟子员是明清时期对县学生员的称谓，俗称秀才。陈宏谋成长过程中的学业都是由哥哥来监督和引导，“寒窗攻苦，互相砥砺”。在良好的家风传承下，家族中的子辈半数相继以读书为重。陈宏谋敬重兄长，“伯兄平昔性近诚笃，学敦实用，本躬行心得之余，以训弟侄及子若孙，且时时立训，惟以读有用书，考古通今为要，举业兼励后场，不徒以专工时艺为捷径”。陈宏諴对待学业及亲人的态度，启蒙了陈宏谋，塑造了他后来鲜明的学习观和家庭观。

除了哥哥以外，家族中的其他成员也是相互帮助的。在《亡侄钟璠哀词》中，陈宏谋追忆侄钟璠为支撑家业，放弃诗书，分理家务的牺牲，“蓑衣短裤，手胼足胝，日事田间”，以负担陈宏谋其他兄弟，让他们可以专一读书。这种极强的家族合力影响了陈宏谋的一生。即使频繁地调任各地，也不能阻止他在维系家庭成员关系上所作的努力。每到任一地，他都尽力将全部家属接到该地团聚。此外，他还与家族其他成员保持着密切的往来。学成中进士为官之后，陈宏谋时常与子侄互通书信。在他悉心教导与以身作则的榜样影响下，家族人才辈出，数出进士与举人，后人陈继昌更是连中“三元”，成为清代仅有的两名“三元及第”中的一人。

陈宏谋治学精神与经世策略如此卓绝，在清朝官员中极具代表性。他生活节俭、做学问严谨，以极饱满的热情投身政务。他躬行力践，“以民心为己心，亦视官事如家事”，发展地方经济和文教事业，赢得百姓爱戴，名垂青史。

张鹏展：从广西走出的御史

冬十月丙申，祖之望免，以韩崶为刑部尚书。癸卯，山东盐运使刘清大破贼于扈家集，侍卫苏尔慎复定陶、曹县。御史张鹏展疏陈，百姓不敢出首邪匪，由于地方官规避处分，不为受理，或反坐诬。上是之。

——赵尔巽等《清史稿》卷十六《仁宗本纪》

张鹏展（1759—1827年），广西上林县人，乾隆五十四年（1789年）中进士。贺长龄所辑《清经世文编》中记载，张鹏展，字南松，官至太常寺卿。又据《国朝御史题名》，张鹏展，字从中，号南崧，由翰林院考选福建道监察御史，后例升通政使司通政使。张鹏展体恤民情，敢于直谏，清代之人颇尊敬之。

抨击吏治，深切时弊

琴川居士所辑《皇清奏议》收录了张鹏展在嘉庆五年（1800年）上呈的《陈民风吏治疏》，他就吏治、财政、科考、军事等不同方面直抒意见，深切时弊，并提出合理可行的改进建议。

严幕友以肃吏治。明清时期，地方官员延请有才能之人协助办理刑名、钱谷、文书等各种事务，这些协助司法审理、户籍管理、粮食税收、文案撰写方面的人才即为幕友。幕友在地方衙门的日常行政运转中十分重要，需要具备专业的法律、粮税、文书知识及一定的综合协调能力。延请幕友需供薪俸，视所在地方发展程度不同而定，金额有时很高，如张鹏展所提福建漳浦和广东番禺、南海等地，一名幕友薪俸一千五百两到一千九百两不等。延请幕友本是官员为解决日益增多的地方事务的策略与方式，但在实行过程中，由于部分官员有私心，反致

广西上林张鹏展石刻

侵害百姓，于百姓、吏治贻害无穷。如有的督抚用属员为幕友，该员有可能上下串通，借机招摇撞骗。督抚们甚至以提拔升迁的形式代束脩，干扰国家正常的官员选拔程序。总之，幕友政策藏有诸多弊端。幕友结党成风，干扰吏治，贿赂为惯常手段，钱财还是从百姓身上搜刮的。为此，张鹏展建议，督抚引属员为幕友及荐幕友做属员的，要严行查禁。督抚应该视地方经济状况，约定相匹配的幕友薪俸，抑制溢价延请幕友。如果州、县越过正常标准争相出高价延请幕友，要严行查核。

童试考额关乎民生，张鹏展告假回籍期间尤为关注此事。童试是明清时期的资格性考试。“岁科两试，文武童生由州、县录名送府，由府录名送学政。”录取的名额向来没有限额，但山西学政戈源奏请录取童生标准应提高，务要写文章层次清楚，文句通顺之人为好，应控制童生录取人数。之后，各州、县官员借口淘汰童生，以限定额数为盈利之术，盘剥意欲录取童生者。应考童生录取一半或者小半，淘汰半数。这些被淘汰的人出银贿赂，数金到数十金不等，美其名曰“买卷”，以争录取。张鹏展认为，童生聪慧，随时都有长进，由县府试到院考这段时间，童生学识更为精进，应当放宽条件来鼓励他们。再者，童试中的渔利行为导致录取有钱却不通文章之人，虽然通文章但没有财力者，即使文章写得再好，也不会被录取。若继续施行限额政策，于国家选拔人才无益。张鹏展建议，对所有应试的童生，应查明他们的身份，除有一些犯罪的或者籍贯与典例不符的，不予录取之外，其余的应试者全部都录名送往。

力除陋规，救民于水火

乾隆五十三年（1788年），安南爆发内乱，清廷出兵助其平定。广西与安南接壤，且界线极长，广西军民备受战争之苦。大兵亲征，用度浩繁。广西巡抚孙永清在十二月底上奏，“军营粮台，需夫至十余万名之多”。应军事出征需要，思恩府、南宁府等地，因邻近安南，就近差遣，每户派拨民夫，在各塘堡上搬运军需。初期，清廷进军安南一路顺利，很快助黎维祁复国，平息安南内乱。扶持黎维祁复国之后，此前所派遣的民夫，也应随之不再派遣。然而十余年过去了，仗打完了，派遣之夫却未遣散。每日仍用夫数十名或者数百名。这项临时性的力役，变成了常规性的派遣。针对此情况，张鹏展上书朝廷革除此项规定。

每州、县的塘堡的民夫，多则十余个，少则五六个。官府每日以借口派用农民，再分给各处使用。应役苦累异常，早先为公平起见，农民轮班值役，但是他们散居在各村，有的村离官府很远。轮值的农民路程远不说，还要自备粮食。轮值之时，露居塘堡，可谓忍饥挨饿，风餐露宿。往来路途加上值役，耗时不短，严重影响农民的生产生活，以致田业荒废。

滥摊力役过程中，百姓们受层层剥削之苦，其中就有号书（地方官吏）中饱私囊。号书在塘堡登记往来公文，村民有农忙或者人力不继等各种原因，间或不能当夫，往往需要贿赂号书。号书又与胥役、长随勾结，每月将银两送与地方官，从中分肥。其实都是地方官员睁一只眼闭一只眼，任由号书等为非作歹，自己坐享“好处”。地方官吏相互勾结，一手遮天，将临时性军需夫役长久地摊派开来，百姓苦其已久。在张鹏展的直接干预下，这项陋规得以革除，百姓无不称赞。

严禁采买，安抚民心

张鹏展省亲回籍，居家三年，严厉抨击家乡上林县存在的采买粮食扰民现象。采买粮食，是应对地方粮食供给不足的措施，本为各地方常见的军需之计策，在张鹏展上奏前，就有直隶总督胡季堂至邻近州、县采买，因难于搬运，请求仍在本地采买。张鹏展回原籍居家日久，深谙乡情，又在京城、任职地方与老家间往来，知道扰民最深莫过于采买，各省民情皆恐采买之累。官员们借采买之机，大肆渔利百姓，中饱私囊。

上林县地方官进行采买，是按户分派定额的。每年采买米谷五六千石到八九千石，折银渔利百姓。嘉庆二年（1797年），朝廷查应贮存的谷是一万四千石，欠有一万一千石，需用三年补上差额。地方官员借机增加百姓负担外，重重滥派之下，百姓苦不堪言。

除了直接滥派外，更有陋规盘剥百姓。百姓们将谷运送到城内，等待官府验收。因城乡相隔遥远，验收时间长，缴纳粮谷的百姓，不得不露宿街头，或一旬，或半月，官吏们借故不收，索取名为“随封”的额外费用。一年尚且使民众陷入困顿，年年如此，百姓难以承担。张鹏展推测，一县尚且如此，其他县也会类似，一省如此，其他省也难免采买之弊。张鹏展进一步将地方动荡不平归咎于采买，说贵州兴义府与广西西隆州“边民不靖”，据往来的里夫与凯旋的兵役们说，实因采买勒逼而致。地方官员为推脱责任，借口是邪教传播，百姓受惑而起。为此，张鹏展上奏朝廷，请求废除陋规，终使朝廷明令禁止这一系列损害百姓利益的规定。

除上书废除陋规外，张鹏展认真地分析乡勇群体，认为任用乡勇的好处是：乡勇熟悉地理环境、熟悉敌情，且招募于民间，亲戚邻里同患难，互相体恤，救民之心异常坚定；乡勇都是各有身家之人，急切自卫，由此抗争热情高涨；乡勇不受裹挟，不会成为敌人。以上都表明乡勇是朝廷可加以依靠的力量。张鹏展认为应该善加引导，对借练乡勇敛财的地方文武官员及轻视乡勇的兵丁加以约束，才有利于军事上的胜利。

张鹏展起于边疆之省份，实心政事，不仅对国家与地方的各种事务极为关切，而且剖析精准，有赞曰："张公鹏展，广西人，任御史时，颇为敢言，尝陈奏出师八弊政，皆中窾（kuǎn）要。"除此以外，他还主持编纂《山左诗续钞》《峤西诗钞》等，影响深远。

《峤西诗钞》书影

像张鹏展这样的广西籍进士，在自己的领域颇有建树。继后的广西著名进士龙启瑞，为道光二十一年（1841年）状元，在音韵学、目录学等领域成就非凡，所著《古韵通说》《字学举隅》《经籍举要》等具有重要的学术地位。这些广西籍进士，以其深厚的学识修养和广泛的社会影响力，通过兴办教育、倡导礼教、参与地方治理等方式，推动地方政治与文教事业发展，对广西的社会和思想观念产生了积极影响，在广西历史上留下重要一笔。

功败垂成的金田起义

闰八月甲申朔……洪秀全陷永安州，踞之……陆建瀛奏请禁天主教。得旨：“与外夷交涉，当慎之于始。原约所有者，仍应循守旧章。”

——赵尔巽等《清史稿》卷二十《文宗本纪》

鸦片战争爆发后，清政府先后与列强签订了《南京条约》《虎门条约》等不平等条约，条约中清政府割让大量领土，赔偿英、法等国高额银圆，致使民不聊生，国家动荡不安。

家事国事，忧而反抗

洪秀全，清嘉庆年间出生于广东花县，族名仁坤。洪秀全自幼聪慧，深得父母喜爱；七岁时，在亲友们的帮助下，进入村塾读书，通晓四书五经；十五岁时去广州参加科举考试，不幸落榜而归。因家境贫寒，他无法再继续学业，遂留在家中与父母兄弟耕种劳作。十八岁时他受聘为村塾教师，六年后再次赴广州参加科举考试，又一次名落孙山。同年梁发在广州向科举学子宣传《劝世良言》，他将此书带回家，但并未阅读。来年他再次参加科举考试，依旧名落孙山。三次科考失败给他带来了巨大的打击，回到家中后病了数日。同县人冯云山也同样有过寒窗十年，但最后科举失利的经历，两人一同为塾师，来往甚密，共同的经历让他们成为莫逆之交。

第一次鸦片战争清政府惨败，于道光二十二年（1842年）签订了《南京条约》，条约规定：割让香港岛给英国，赔偿英军两千一百万银圆，开放广州、福州、厦门、宁波、上海为通商口岸，协定关税，准许英商在华自由贸易。此条约的签订损害了中国的领土完整和关税自主权，清政府无力承担大量的赔款，便向百姓征收严苛杂税，致使民不聊生。鸦片战争时期，广东是前沿阵地，广西与广东毗邻，虽没有直接受到鸦片战争炮火的袭击，但也难免会受到战争的影响。在社会大动荡的背景下，洪秀全、冯云山的个人失意，百姓的困苦，列强的羞辱，国家的危难，激起了他们忧民忧国的意识。随着这种意识的不断加强，忧患的不断积深，最终洪秀全走上了反抗的道路。

以亲相连，以教聚众

洪秀全第四次科举失败后，他放弃了科举入仕的念头，在一次偶然的机会，研究起了带回来的《劝世良言》。该书除大半内容集《圣经》而成外，余下则结合中国风土人情，并借用儒家言论，阐述基督教基本教义，给洪秀全留下了深刻的印象。他认为自己是上帝差遣下凡的，是世间的“真命天子”，人世间的各种丑恶罪行、困苦劫难皆是因为人们受了邪恶的蛊惑，没有遵循上帝的教诲而导致的，他有义务改变这一状况。“拜上帝教”应运而生。

在创立了拜上帝教之后，他决定离开家乡，去寻找广阔的天地，到民众中宣传拜上帝教，他把这次离开家乡之举称为“出游天下”。

在经过数月的出游后，他的宣传并没有起到很大的作用，他便想到：“广东不行，那就到广西去。”紧接着他和冯云山沿着西江来到了广西桂平木落（今木乐），又沿着浔江西行，最终来到了贵县（今广西贵港）赐谷村，两人在表兄王盛均家中寻到了一个落脚处。洪秀全开始了在广西的宣传活动。他们与民众一起相处、交往，深入群众生活之中。有一次，洪秀全援救表兄王盛均的儿子为正出狱，全家男女老少都颇为感恩洪秀全，洪秀全便劝为正敬拜上帝教，遵从上帝教诲，为正也觉得自己的获救是因为有上帝的护佑，于是追随洪秀全，听从其道，并积极为宣传拜上帝教出力。冯云山趁此机会奔走相告，短短几个月时间，赐谷村一带信奉上帝的民众超百人。这一次在广西的宣传活动无疑是成功的，并且是洪秀全创立拜上帝教以来前所未有的一次成功。

那么为什么洪秀全一行在广东宣传拜上帝教失败，而在广西却成功了呢？一个重要原因是贵县赐谷村一带多为客家人，洪秀全和冯云山皆是客家人，在当地有表亲的支持，他们在思想、情感上更容易产生共鸣。洪秀全和冯云山在广西传教的过程中，结识了杨秀清、萧朝贵、石达开、韦昌辉、秦日纲，这七人共同组成了太平天国运动的领导集团。

功败垂成，历史不忘

道光三十年（1850年），洪秀全发布命令，各地拜上帝教的教众云集广西金田，准备起义。拜上帝教在两次大败清军之后声势大振。道光三十年十二月十日（1851年1月11日），万人齐集，在金田举行隆重的典礼，誓师起义，正式向清王朝宣战，建号太平天国，洪秀全为领袖，称为天王。9月，起义军攻克永安（今广西蒙山）后，杨秀清被封为“左辅正军师”东王，称九千岁；萧朝贵被封为“右弼又正军师”西王，称八千岁；冯云山被封为“前导副军师”南王，称七千岁；韦昌辉被封为“后护又副军师”北王，称六千岁；石达开被封为翼王。诸王皆受东王节制，起义军为太平军。有历史学家称之为“永安建制”。

起义后，洪秀全颁布简明军律：一是将士必须遵守规定；二是男兵、女兵分别行动；三是在行军过程中，不得侵扰百姓；四是全军上下要团结一致，听从指挥；五是同心合力，不得临阵退缩。起义军全体将士皆蓄发易服，头裹红巾，开启了一场轰轰烈烈、空前壮大的农民起义。

人民英雄纪念碑浮雕：金田起义

清咸丰三年（1853年），太平天国建都天京（今江苏南京），颁布了一系列条令法规。其中包括洪秀全根据《原道救世歌》和《原道醒世训》等著作中阐述的平等思想而提出来并制定的《天朝田亩制度》。制度详细规定：确定“凡天下田，天下人同耕”的原则，“有田同耕，有饭同食，有衣同穿，有钱同使”，规定“凡田分九等”，凡分田，照人口，不论男女“好丑各一半”的分田办法；规定县以下行政制度，设立各级乡官，并确立乡官的保举、升贬、奖惩办法，25家居民为一

《天朝田亩制度》书影

“两”，设“两司马”负责管理生产、分配、教育、宗教、司法以及地方武装等工作；规定余粮、余钱送缴“圣库”的办法，每家农副业收获，扣除口粮外，其余送缴“圣库”，按制分配；废除封建买卖婚姻制度，规定“凡天下婚姻，不论财”。咸丰九年（1859年），洪仁玕向洪秀全提出改革内政和建设国家的新方案——《资政新篇》。这是中国近代第一个比较完整的资本主义建设方案，其集中反映了当时具有先进思想的中国人向西方寻找真理和探索救国救民道路的迫切愿望。该方案提出：加强中央领导权，严禁贪污，设置各地独立的新闻馆，重视群众意见；发展交通，设立邮亭，保护私有财产，兴修水利；成立士民工会，开设医院，兴办育婴堂，禁止吸食鸦片，禁止买卖人口，等等。

两部法规充分反映了人民群众的需求以及人们迫切想找到救国救民道路的愿望，虽成功颁布，但由于一些条令没有能够考虑到当时的社会条件，因而没有得到实施。此外，其中并未提到列强侵略中国的问题。

咸丰六年（1856年）天京事变后，太平天国内部受到极大损害，开始瓦解，在之后与清军的大战中节节败退。同治三年（1864年）洪秀全病逝，湘军攻入天京，天京陷落，标志着太平天国运动的失败。

金田起义作为太平天国运动的开端，是中国近代史上一次规模宏大的农民起义。从历史发展的角度来看，这场起义具有重要的进步意义：它沉重打击了清王朝的腐朽统治，动摇了封建土地制度；同时展现了中国人民反对外来侵略的坚定意志。然而，受限于农民阶级的历史局限性，起义领导层未能形成科学的革命纲领，后期因内部权力斗争和战略失误而走向失败，也给社会经济发展造成了一定破坏。

各书院膏火碑记：见证广西书院的兴盛

各省书院之设，辅学校所不及，初于省会设之。世祖颁给帑金，风励天下。厥后府、州、县次第建立，延聘经明行修之士为之长，秀异多出其中。高宗明诏奖劝，比于古者侯国之学。儒学浸衰，教官不举其职，所赖以造士者，独在书院。其裨益育才，非浅鲜也。

——赵尔巽等《清史稿》卷一百六《选举志一·学校一》

书院是中国古代特有的一种教育组织形式，在中国古代教育发展史上占有相当重要的地位，对社会发展产生过重要影响。桂林作为古代广西的政治、经济与文化中心，其书院教育的发展在广西地区一直处于领先的地位。清代学者袁枚说：“书院之名，起唐玄宗时，丽正书院、集贤书院皆建于朝省，为修书之地，非士子肄业之所也。”记录当时桂林书院情况的《各书院膏火碑记》石碑位于桂林叠彩山下，即原秀峰书院故址、现桂林市第二人民医院处，原碑已毁，只有抄录碑文存世。

广西桂林叠彩山

兴贤育才，书院再开

清初，朝廷对书院采取抑制政策，顺治九年（1652年），诏令“不许别创书院群聚徒党，及号召地方游食无行之徒，空谈废业”。但随着时间的推移，在雍正末年，朝廷因时制宜，对书院的禁令渐趋松弛。雍正十一年（1733年），雍正帝曾说：“最近看到各省逐渐开始崇尚实际的政策，不再追求虚名和表面的荣誉，而那些读书和准备科举的人也能够摒弃浮躁和急功近利的习惯。因此，建立书院，选拔一些在文才和品行上都优秀的学子，让他们在书院里读书，早晚讲习诵读，修养身心，磨砺品行，有所成就。这样，其他学子看到后也会受到激励，奋发向上，这也是培养贤才的一种方式。总督和巡抚所在的地方是省会的中心，应该由他们商议并执行此事，每省赐予经费。将来学子们读书，需要提前筹划，提供他们的生活费用，以确保书院长久运行。如果经费不足，可以从公款中支取。封疆大臣等官员有责任引导学子，应该尽心尽力地执行这一政策，摒弃浮华，崇尚实际。这样，书院的设立对于学子的学风和文风都有益处，这是我所深切期望的。”此令一出，各地书院如雨后春笋般涌现。这表明封建王朝的统治者对建立书院的支持态度。

发展教育，书院繁荣

清代是广西书院发展的全盛时期。据统计，清代广西共有书院221所（新建书院205所，兴复前代书院16所），其中，桂林共有书院34所（新建书院28所，兴复前代旧书院6所），在数量上超过了以往任何一个朝代。古代桂林在广西书院发展史中总体上起着引领的作用，处于领先的地位。那么，古代广西的书院为何首先在北部的桂林兴起呢？或者说，古代桂林为何能在书院建设方面居于广西领先地位，独领风骚呢？如众所知，文化是政治和经济的反映，书院教育无疑是属于文化的一部分，它的发展理所当然要受到政治和经济发展的影响。

《广西通志·教育志》记载，秀峰书院、桂山书院、经古书院皆为广西省级书院，主要在全省招收举人、生员入学。在清初，广西部分地区仍然实行土司制度，土官为了维护他们的统治，不允许少数民族子弟读书，也不开办学校，这样的政策使当地的经济、政治、文化处于极其落后的状况，社会秩序也不稳定。为了解决这些问题，雍正时期，云贵总督鄂尔泰兼辖广西，他曾上疏朝廷，建议在广西兴建学宫以及书院等，并着手解决社会治安问题，倡导营建良好的学习风气。雍正十一年（1733年），广西巡抚金鉷在桂林临桂创建了秀峰书院，并借此带动了桂林的读书风气。光绪年间，在镇安、泗城等府的优秀生员被选拔到省城桂林学习，这些优秀生员会得到优厚的津贴待遇。官府给予的津贴为偏远地区的生员提供了经济支持，另外，更有地方官绅将自置田地捐作书院经费，用以支持教育事业发展。广西巡抚马丕瑶向朝廷上奏，力求朝廷同意其聘请外省人才到广西，以支援广西的教育事业，他说："广西设立了秀峰书院，一直以来都是请当地的绅士来教导学生，每年的教育经费都按规定上报并支取。按理说，应该聘请品德和学问都优秀的人来教导学生，以符合皇上重视培养人才、发展边疆教育的旨意。我到任后，查看了书院学生的文章，发现不仅内容不够深入，而且常常抄袭市面上流传的文章，这种不良风气一直延续，导致学生的学风和文风都没有得到改善。我了解到浙江有一位进士，名叫马俊良，他品行端正，学问深厚，因此我想聘请他到秀峰书院担任讲师，希望这样能够促进广西教育的发展。"皇上同意了该请求。

清代，广西书院的发展又进一步推动了科举制度的发展，为科举提供更多的人才。雍正十一年（1733年）开始，朝廷放宽了对书院、官学等机构的限制，从此学生求学的渴望和热情就随着教育规模的不断扩大而高涨。各书院的教育内容与培养机制均有差异。以秀峰书院为例，这里汇集了许多贤明之士，在教学内容上侧重于儒家传统教育，在日常讲学中主张经世致用的教育思想，学习氛围极其浓厚，书院以"四书五经"以及理学家的经典著作等作为教材。

书院勃兴的背后，是保障制度的逐渐完善。《各书院膏火碑记》中的"膏火""肄业""注册"等俗语，恰好生动反映了清代社会生活的真实面貌。通过对这些民间用语的解读，我们可以清晰地看到清代广西对偏远地区学子实施教育资助的历史事实。书院规模的持续扩大，为当地教育事业注入了蓬勃生机。值得注意的是，桂林府以广西巡抚的名义立碑颁布恤远经费条例，并将其晓谕各书院，这一举措充分体现了清代传统儒家教育在广西地区的深远影响。同时，当时广西复杂的社会局势也凸显了官府重视边疆教育建设的必要性与紧迫性。如今，《各书院膏火碑记》虽原碑已毁，但幸有抄录碑文传世，为后人研究清代广西教育史提供了珍贵的历史文献。

苏元春：不应遗忘的边关守护者

元春躯干雄硕，不治生产，然轻财好士，能得人死力。尝与法人接，独持大体。金龙峝者，安平土州地，为中、越要隘，法将据之，与争不决。而游勇万人恒出没为法患，法莫能制。其总督入关来求助，元春悉召至资遣之，金龙七隘卒归隶。法商李约德为寇所掠，总署虑启衅，以属元春。元春简驺从诣山下，寇闻，送之出。

——赵尔巽等《清史稿》卷四百五十九《苏元春传》

自19世纪70年代法国殖民势力入侵越南之后，越南面临着变为帝国主义殖民地的命运。清光绪十年（1884年），第二次法越《顺化条约》的签订，标志着越南完全沦为法国的殖民地，越南阮氏王朝终于认清了危险的局势，决心向清廷求助。在这场中法战争中，中国做出了许多贡献，并涌现出了一批英勇将领，其中包括苏元春。

苏元春（1844—1907年），字子熙，广西永安（今广西蒙山）人，清光绪十年（1884年）署广西提督，后随冯子材在广西镇南关大败法军。中法战争后，大力建设广西边境。

苏元春

郎甲之战立功劳

光绪十年（1884年），清军在越南太原、兴化失守后，清廷大为震惊，于是通电令湖南巡抚潘鼎新为广西巡抚，又谕“所有驻永州提督苏元春统防军二千四百余人，着潘鼎新全数调往，俾资厚集”。在朝廷诏令下，苏元春率领新军开赴镇南关，清政府任命其为广西提督，统领在越南北圻的桂军。

八月，中法马尾海战失败的消息传到北京，清政府被迫正式对法宣战，命令驻扎在越南的滇、桂防军，相继向在越南的法军发起反攻。当时，中国军队已分成东西两条战线，各自为战。西线的黑旗军、滇军从宣光出发，攻向太原（两地均位于时越南北部地区）；东线各军从广西出发，越谅山南下，进攻谅江。然后两军会合攻取北宁和河内。反观法国，制订了西守东攻的作战计划，即坚守宣光、太原一线，集中兵力进攻郎甲、船头（两地均位于时越南北部地区），而后夺取谅山。

九月，广西提督苏元春率领桂军主力抵达船头，方友升及周寿昌驻扎在郎甲一带，两路桂军互为掎角，自为战守。苏元春得悉法军在岸边修建防御工事，陆南江上布有兵轮，以阻止清军向北宁推进。于是他趁法军工事尚未完善，阵脚尚未扎定之时，先发制人。十月，苏元春命令一股军队在船头渡河，沿陆南江南岸，至下游埋伏，他则亲自另带一队，沿陆南江北岸推进。为了防止敌人向陆南江上游进犯，苏元春先令一小股部队在尼村驻守。各路清军向陆岸的法军发起总攻时，苏元春率兵抢先攻占北岸，即刻命令部下围攻敌人新筑的炮台。清军高歌猛进、士气高昂，奋勇夺取了北岸的炮台。先前在南岸下游埋伏的军队此时也在阻击前来支援的法军，掩护部队争夺南岸炮台。法军无法抵抗，溃不成军。面对敌人源源不断的增援部队，苏元春亲自指挥，重创法军。此次大战，清军攻占陆岸县城，击毁法国兵轮一艘，俘获大量枪支弹药，极大地鼓舞了抗法清军的士气。

随后，苏元春得到情报，法军将进攻离船头不远处的尼村。苏元春于是立刻下令兵分三路，一路支援尼村守军，一路从尼村后山偷袭敌人，自己再亲带一路接应。敌人凭借其优良的装备，以大炮轰击清军阵地，清军将士死伤甚多，双方鏖战至天将晚时才收兵。法军因在陆岸、尼村遭受清军沉重打击，一连几日不敢主动发动进攻，唯有用火炮遥轰。苏元春则亲自督战，命令士兵挖战壕，筑营地，以炮还击。未几，法军在增援部队到达之后向清军发起进攻，以两头大象为先锋，用兵轮炮火作掩护，直扑清军的主要阵地。为应对法军，清军三面出击，猛攻法军，苏元春亲自点燃大炮，炮击法军。一时间战场上硝烟弥漫，苏元春趁机下令全军冲锋，清军战士从烟雾中杀出，与法军近身缠斗在一起，刀枪的冲击声响彻云霄。法军指挥官在混乱中被清军哨弁砍杀，法军没了指挥官，顿时群龙无首，阵势混乱，纷纷登船逃跑。

苏元春在陆岸、船头击退了法军的进攻，阻止法军向谅山的入侵。然而，在这两场战斗中，苏元春军队得不到潘鼎新的支援，人员损失甚多。又怕敌人从郎甲东出，切断其军队的后路，于是苏元春令部队战术性撤退至谷松。至此，战局的主动权落到了法军的手里。

郎甲、船头失守后，清军在战场上就处于被动局面。苏元春多次接到法军在船头的情报后，打算在船头东北方向的纸作社地区展开一场伏击战。苏元春首先命令部下率领一股军队先至平内扎营，从正面牵制敌人，其余军队埋伏于平内与纸作社之间峡涧处。正面部队从平内出发，于峡口外一带行动，和法军相遇，双方立刻进入战斗状态，一时间炮火对射。苏元春随即命令正面部队撤出战斗，引诱法军进入包围圈。法军见清军溃逃，立即追击。待法军全部进入包围圈，苏元春立即指挥东西两边的伏军从两侧向法军进攻，形成三面环攻之势，大败法军。

两军武器装备水平相差甚远，但在苏元春的领导下，清军敢于和装备优良的法军硬拼，这是不畏强暴、有着强烈爱国思想的表现。苏元春指挥得当，能紧紧抓住战场上的主动权，不失时机，及时出击，充分发挥了清军近战的优势，为打击法军做出极大贡献。

前线溃败，决战边关

苏元春率领的部队在陆岸、船头、纸作社等地区给法军精锐部队以重创后，士气大振。但是东线军事最高指挥官是潘鼎新，他在军事上完全执行李鸿章的失败主义政策。光绪十一年（1885年）初，敌人利用清军分兵把守、不能协同作战的弱点，集中优势兵力，先后占坚老、谷松，步步紧逼苏元春部队。苏元春部队顽强坚守，打退了敌人的多次冲锋。但是由于清军东西两路援军都配合不上，潘鼎新的嫡系部队按兵不动，苏元春军队被迫退守卫街、委坡。卫街、委坡先后失陷，法国侵略者在尼格里率领下，持续向谅山推进。法军攻占谅山之后，又占领同登，攻入镇南关，并将关城炸毁，广西全省震惊。

面对法军的步步紧逼，清政府急令冯子材为广西关外军务帮办，率部驰援。护理广西巡抚李秉衡召集诸部将会议，大家公推冯子材为前线总指挥。冯子材立即进行战前部署：整顿军纪、医治伤员、收容散兵、团结将领，恢复边境的社会秩序。在军事布置上，冯子材军与王孝祺军自当中路，苏元春军驻在隘后的幕府地方，蒋宗汉、方友升军在凭祥地方，王德榜军驻在油隘地方。战略得当，主将率先士卒，勇往直前，奋勇杀敌，当地群众和部分散兵游勇也前来助阵，在中越军民的共同努力下，大败法军。此次大战，清军共击毙法军近千人、越南伪军百余人，法军仓皇溃败，是为镇南关大捷。

镇南关大捷后，冯子材、苏元春等人立即率领军队追击，一路上人不卸甲，马不下鞍，过关斩将，取得节节胜利，先后攻克文渊、谅山，重伤法军主帅尼格里，收复谷松等地，接着向郎甲、船头进军，准备攻克北宁，和西线滇军合攻河内。刚准备进兵河内时，清政府急令前线清军停战撤兵。圣旨难违，冯子材、苏元春被逼率军撤回镇南关关内。中法战争以“中国不败而败，法国不胜而胜”告终。

保境息民，建设边境

中法战争后，苏元春命清军部署在广西与越南的边境上，扼守关口，并根据“粤西沿边千数百里，隘卡纷岐”的地势特点，提出在沿边各重要关隘驻炮营垒，“惟有严锁钥以扼要冲，庶可安常而应变”。李鸿章认为广西边防的主要对象，还是那些“会党游匪”，而不是法国侵略者。苏元春当时身为广西提督、边防督办，负有保卫国家领土完整和广西边境安全之责，因此认定边防对象就是法国侵略者。但当时国库空虚，军费开支过大，要在数百公里长的边境上进行边防建设，如何筹集建设经费，是摆在苏元春面前的难题。

好在苏元春得到了当时两广总督张之洞的大力支持，拨款给广西用于购置克虏伯炮、田鸡炮等。苏元春得到首批经费后，决定以镇南、平而、水口三关和龙州、大连城、小连城为

广西凭祥大连城遗址石碑

中心，选定龙州、凭祥两地的公母山、将山、白云岭、青山、马鞍山、鸡鸣山以及彬桥、大连城、小连城等山岭，剖山顶，建炮台。用石块或大砖围砌成台城，四面开门，中筑台安炮，旁边则为弹药库，有隧道上下左右四达。几批炮台先后竣工。这些炮台周密地布置在广西边境线上。

在修筑炮台的同时，苏元春还开辟修复沿边的道路。在当时，除了凭祥镇南关到龙州这条道路比较宽平，其余地方的军路，大部分是崎岖的羊肠小道，有些地段甚至无路可走，同时，闭塞的交通也影响到边境地区人民的生产和生活。于是，苏元春组织边境军民，在十多年的时间里修筑道路千里，形成了以龙州、凭祥为中心的军事公路网。有的道路加工修整，有的加宽修直，除此之外还修了一些支线，直接连接边防线上的各个据点、炮台、隘口，使边防军路纵横交错，畅通无阻。在水路方面，苏元春邀请龙州富商，筹集资金，官商合股，组办运输公司，提高左江的运输能力；派人疏通明江，使昔日的险滩成为水上通途。水路的修筑和疏通，既加快了边防建设的速度又适应了边防军事的需要，还便于商旅来往，促进了边境地区的发展。

苏元春镇守边关时，采取了许多措施开发广西边境，维护地方安定。为了解决长期驻守边境士兵的生活问题，稳定士兵的情绪，提高军队的素质，充实边防力量，苏元春采取了许多办法。首先，鼓励官兵的亲属迁来边境，动员群众迁到边境地区落户，并拨款建房子给他们住。其次，开辟圩场，招揽一批商人来广西从事贸易，活跃边境经济，甚至在圩期时，发钱给赶圩的人以促进消费。商贩来往，物资得到了流通，促进了边境生产的发展和边境经济的繁荣。再次，沿边一带森林茂盛，苏元春为了保护森林资源，下令严禁砍伐森林，并成立八角保卫局。八角成熟时还会派兵保护，防止偷盗抢劫行为发生。同时，还招募一批工匠，开办龙州制造局、火药局、军装局，捐资设立同风书院，发展当地的教育事业，为边疆建设培养人才。此外，苏元春还与法国签订边境会讯章程，双方派官员兵勇驻守，管理边界双方的边民和商人的往来，维护边境治安，及时处理边界纠纷，避免事态升级。

苏元春长期驻守边境，不仅完成了工程浩大的边防建设，还在民生方面大下功夫。无论是在战争岁月还是在边境建设期间，他热爱边防，热爱边疆人民，得到了广西人民的颂扬。

镇南关大捷

越日复涌至，子材居中，元春为承，孝祺将右，陈嘉、蒋宗汉将左。子材指麾诸将使屹立，遇退后者刃之。自开壁持矛大呼，率二子相荣、相华跃出搏战。诸军以子材年七十，奋身陷阵，皆感奋，殊死斗。关外游勇客民亦助战，斩法将数十人，追至关外二十里而还。越二日，克文渊，被赏赍。连复谅城、长庆，擒斩三画、五画兵总各一，乘胜规拉木，悉返侵地。

——赵尔巽等《清史稿》卷四百五十九《冯子材传》

19世纪80年代发生的中法战争，是法国侵略越南和中国的战争。法国企图侵占越南，并以越南为基地侵略中国西南各省，中越两国人民都面临着遭受西方帝国主义侵略和奴役的局面。在这场战争中，影响最为深远、最具历史意义的便是镇南关大捷。

边关告急

冯子材像

镇南关（今广西友谊关）在中越边境东段，是祖国的南大门，是中越交通的枢纽。19世纪60年代，法国在侵占了越南南部以后，70年代又开始向越南北部进攻，企图占领整个越南，并从越南入侵中国。法国的侵略活动，激起了中越人民的强烈反抗，终于在19世纪80年代爆发了中法战争。

光绪十一年（1885年）二月二十三日，镇南关陷落。此时中法战争已经打了一年多，清军在越南东线战场节节败退，敌人将战火引入中国境内。这个失败，不是因为敌人强大，也不是因为士兵怯战不勇敢，而是清政府的卖国投降政策和部分将帅昏庸无能所导致的。

法国侵略者占领镇南关，消息传来，广西全省为之震动。广西关外军务帮办冯子材就在这种情况下被公推出来主持大局。冯子材部随即入驻凭祥，采取了一系列积极措施。首先是严格约束部队，禁止军队扰害人民；其次是招收散兵溃勇，恢复军队战斗力；再次是团结各军将领，建立指挥中枢。各军将领决定放下派系成见，愿听冯子材指挥，军队出现了团结对敌的新局面。

冯子材又对军事进行了周密的部署，他所率部自当中路，扼守长墙和山头要塞；王孝祺部驻在山后不远的地方；苏元春部、陈嘉部驻在隘后的幕府地方；蒋宗汉部、方友升部驻在隘后的凭祥地方；王德榜部驻在关东的油隘地方；魏钢部驻在关西的艾瓦地方，保护镇南关的后路。

主动出击

大战前夕，冯子材得到越南人民的密报，密报称法国侵略者将在光绪十一年（1885年）三月二十四、二十五两日再次进攻镇南关。冯子材选择主动出击、先发制敌，打乱法军的作战计划。三月二十一日深夜，清军从油隘、关前隘东西两路袭击文渊，一度冲进了文渊中心，与法军展开了激烈的巷战，一直打到天明。敌人正在全力以赴正面抵抗清军的进攻时，清军的敢死队从后山爬越峭壁，攀藤登上了山顶，连续攻下两个石堡，残敌退缩到最后一个石堡顽抗。激战到二十二日中午，在歼灭了一部分敌人之后，清军撤回关内。这次主动出击，打掉了敌人的嚣张气焰，增强了中越军民抗法的信心。

三月二十三日凌晨，法国尼格里少将命令法国侵略军越过中国国境，进入镇南关集结，目标——进攻中国关前隘。早晨八点，法军主力分三路冲锋，两路进攻东岭堡垒，一路直扑关前隘长墙。上午十点，云雾逐渐散去，东岭一号堡垒露了出来，法军集中两个炮队猛轰一号堡垒，掩护步兵前进。一号堡垒的山头上硝烟弥漫，防线倒塌，虽然清军守军顽强坚守，但在敌人强势的兵力和炮火的压迫下不得已撤出了阵地。

法军占领了一号堡垒后，云雾中又出现了更高的二号堡垒，法军又用同样的办法攻取了二号堡垒，尼格里将指挥所搬进了二号堡垒，下令继续进攻三号堡垒。由于清军的殊死抵抗，加之山路崎岖，法军占领三号堡垒时，已经是下午两三点钟了。法军占领东岭的三个堡垒后，尼格里企图从长墙东段突破一个缺口，迫使清军放弃关前隘，向凭祥、龙州逃跑。于是他下令从山上居高临下，袭击关前隘长墙，掩护法军主力向关前隘进犯。形势十分危急，一时间，关前隘长墙内外，枪林弹雨，炮火纷飞，浓烟滚滚。清军奋不顾身，顽强抵抗，虽然敌人发射了大量的炮火，长墙千疮百孔，但敌军未能踏越雷池半步。

下午四点，苏元春、陈嘉、蒋宗汉、方友升各部相继赶来支援。陈嘉、蒋宗汉部登上东岭，加强了两座堡垒的防御力量，使东岭的战况转危为安，苏元春则配合冯子材扼守长墙，抵挡敌人的猛烈进攻。与此同时，油隘的王德榜部按照预定计划，向敌人的后方出击，拦截了法国军队的运输队，并挺进文渊河与法军据垒对射；当得知东岭上三座堡垒被法军占领后，便主动回攻配合作战，从东面进攻东岭，迫使尼格里调动预备部队和炮队保护后路。据守在西岭的王孝祺部，展开了阵前反击，把敌人压下山谷，乘势冲向关道，从西面威胁东岭，牵制敌人不能向前进攻。

双方从白天一直打到黑夜，不收兵，不休息，据守着阵地过夜。法国军队受到中国军队的三面进攻，明显有些力不从心，被迫停止了进攻。此次作战，粉碎了尼格里抢占东岭，攻破长墙的战略目的。

殊死抵抗

夜幕降临，战场上一片漆黑，法国军队经过一天的激战，伤亡惨重，付出了巨大的代价才占领了三个堡垒。此时法军陷入两难境地：以他们的兵力和弹药，继续攻占东岭无疑是以卵击石；趁黑夜逃走，不仅会在国际上闹笑话，若是被清军发现，还会被乘胜追击，到时文渊城都可能保不住。因此，尼格里决定黎明前派兵偷袭东岭大堡，如果夺取了此制高点，就从山上绕到清军背后，进行前后夹击，一举攻破中国防线。

反观清军军营，将士们磨刀擦枪，修补倒塌的防线，群众送茶送饭，输送物资，整个前线一片繁忙。冯子材也开始对战斗进行部署：一方面通知王德榜军，继续进攻敌方的后方和侧翼；另一方面将东岭的阵地交给陈嘉、蒋宗汉的部队防守；此外还调集扣波的杨瑞山、麦凤标部前来增援。同时选派三百名士兵组成敢死队，配备大刀，趁黑夜翻出城墙，潜伏在墙外的沟渠草丛中，等敌人接近时展开肉搏。

二十四日黎明时，尼格里派他的副手爱尔明加率领一股法国侵略军，企图利用浓雾偷袭东岭大堡。爱尔明加不敢走正路，在浓雾中走进了一个深谷，辨别不出方向，加上草湿泥滑，皮靴笨重，爬山也爬不上去，最后只能原路返回，白白浪费了五个小时。尼格里等了一上午都没有听到大堡方向传来枪声，直到上午十一点，云雾散去，远处大堡上仍然飘扬着中国的军旗。尼格里认为清军一定是像以前一样趁着夜色逃走了，爱尔明加不费一兵一卒占领了大堡。于是尼格里立即命令山下先头部队从正面进攻，同时命令炮兵猛击长墙，为步兵开路。山下的法军听说他们的部队已经占领了东岭大堡，于是纷纷喝起了酒提前庆祝。中午十二点，法军吹起了冲锋号，侵略者们壮起胆子，乘着酒劲发起冲锋。就在这时，爱尔明加垂头丧气地回到了三号堡垒。当尼格里知道偷袭大堡的阴谋失败时，已经没有任何办法挽救山下冲锋的军队了，只能不惜一切代价冲向四号堡垒，孤注一掷，以拯救落入包围圈的部队。此时还被蒙在鼓里的法军，看到有清军，便大胆起来，放下背包，插上刺刀，气势汹汹地冲向长墙。说时迟，那时快，冯子材抓住战机命令士兵打开栅门杀出墙去，亲率大刀队跳出墙外。全军士气大涨，拥出长墙，与敌人近身肉搏。潜伏在长墙沟渠草丛中的三百名敢死队队员，一跃而起，从敌群中杀出。从扣波赶来的军队，也突然出现在敌人阵地后面。一时间，刀光剑影，敌军招架不住，几乎全军覆没。而尼格里只能在东岭上眼睁睁地看着山下的队伍被全歼。

下午三点，清军对东岭发动总攻。关外抗法的越南人民，听闻炮声也前来参战，一部分冲进关来与清军并肩作战，一部分留在敌人后方阻击拦截，互相配合，法国侵略者已陷入天罗地网之中。

在包围圈步步紧缩的情况下，尼格里趁着天黑带着残兵败将逃回了越南。法军死的死，伤的伤，鬼哭狼嚎。中越军民越战越勇，一直杀至镇南关关外，深夜才收队回关。

光复谅山

法国军队逃回文渊后，断定清军不会立即追来，妄想固守谅山，等待援军。可惜事与愿违，冯子材、王德榜、苏元春等人立即率领军队跟踪追击，人不卸甲，马不下鞍，一路过关斩将，取得节节胜利。光绪十一年（1885年）三月二十六日，清军攻克文渊，打开了通往谅山的道路。二十七日，占领界碑和板林村的敌军前线阵地。二十八日，清军对驱驴发起攻势，王孝祺军进攻西面，冯子材、苏元春率主力进攻正面，王德榜军进攻东面，三面环攻，清军在驱驴攻坚战中大显军威，歼敌近千，重伤法军主帅尼格里，大军直逼谅山城下。法国军队害怕被包围歼灭，将大量的银圆、武器弹药、粮食抛入河中，并于深夜十二点趁夜色分成两路撤出谅山。与此同时，清军两支秘密部队奉命绕到谅山城西，到了凌晨，强开城门杀进城内，敌军后卫部队抵抗了一阵就逃窜了。二十九日，谅山光复。

谅山大捷不仅粉碎了法国“北圻远征军不可战胜”的神话，更成为中法战争中最具战略意义的转折点。冯子材独创的“正兵合围、奇兵夺门”战术，将中国古代传统军事智慧与现代战争思维熔铸一炉，使清军首次在正面战场打败西方列强。这场胜利直接动摇了法国殖民当局的统治根基，迫使茹费理内阁倒台，为《中法新约》谈判赢得关键筹码。当捷报传至北京时，压抑已久的人们为之一振。

一门三总督的传奇故事

湖广总督张之洞在日本厂购雷艇四艘，曰湖鹏、湖鹗、湖鹰、湖隼；浅水炮舰六艘，曰楚泰、楚同、楚豫、楚有、楚观、楚谦。两广总督岑春煊开办鱼雷局于黄埔。

——赵尔巽等《清史稿》卷一百三十六《兵志七·海军》

广西西林岑氏，人才辈出，晚清时期一门出三总督，分别是岑毓英、岑毓宝、岑春煊，他们为平息震荡的时局做出了特殊贡献，是晚清重要的政治人物。岑毓英（1829—1889年），字彦卿，官至云贵总督。岑毓宝（1841—1901年），岑毓英之弟，云南布政使，代理云贵总督。岑春煊（1861—1933年），字云阶，岑毓英之子，时人亦称岑西林，历任广东布政使、陕西巡抚、四川总督、两广总督、云贵总督等职。

岑毓英、岑毓宝戎伍起家

岑毓英一生的主要功绩有青年办团练、募勇入滇以及在任职云南期间领军稳定社会动乱，并在中法战争中沉重打击了法军。他少时刻苦学习，志向科举，咸丰年间，以生员身份在家乡西林办团练，号召民众于乱中自保，小有成效。随后，募勇入滇，凭借英勇善战之功，先后委署宜良县事、兼署路南

岑毓英像

州事等，后授云南巡抚。当时云南爆发了激烈的民众冲突，岑毓英以一己之力，平定云南，居首功。清廷曾下令说：在兵力不足、军饷匮乏的艰难时刻，岑毓英鼓舞士气，让大家坚定信心、忍受艰苦，先是逐一平定了云南东南地区社会，随后专心致力于云南西部，最终使整个云南地区恢复了安宁，贡献极大。动乱已久，云南诸务废弛，岑毓英悉心加以整顿，举劾官吏、兴办铜厂、清理盐务，庶政为之一新，为云南民众在动荡的晚清政局中争取到了一丝喘息的机会。此后，岑毓英补授贵州巡抚、调福建巡抚，光绪八年（1882年）升任云贵总督，在他任职期间，中越边境告急，岑毓英亲自带兵出关迎敌，极大地震慑了法军。岑毓英后以病躯出关勘界时，法使不敢再要挟，只得按图画界。

岑毓宝，早期一直随兄长岑毓英效力营伍。与兄共击法国军队时，岑毓宝为应对法军精利枪炮，创地营之法，开挖沟槽，架以松木、梨木，开洞以做枪眼，在装备相对落后的不利情况下最大限度与法军对抗，是为当时较为先进的战事防御措施。后随兄调任各地，历任福建

岑毓宝画像

盐法道、云南按察使等，暂护云南巡抚、兼护云南总督。岑毓宝还是极少数具有革新思想的官员，积极支持维新变法运动。变法运动失败后两年不到，他抱憾逝去。

岑毓英与岑毓宝兄弟二人，作为清朝末年重要的政治人物与军事将领，极力稳定地方秩序，恢复地方经济，推动社会发展。在面临列强的侵略时，其兄弟二人努力维护国家的利益和领土完整，确为有担当的朝廷大臣。

岑春煊整顿吏治，兴教育、办实业

岑春煊，岑毓英之子，在晚清的政坛上曾以“敢于言事、参劾官吏”而著名。光绪二十四年（1898年），岑春煊升任广东布政使。他一到任便把吏治改革作为突破口，大刀阔斧地裁撤各闲散机构的人员。时任两广总督谭钟麟，对属官疏于管束，导致两广吏治废弛，大小官员皆以贪黩闻名。有一位颇得谭钟麟信任的王姓道员作恶多端，长期欺压商民，勒索钱财。岑春煊审查属实后，请谭钟麟将王道员撤职查办，但谭钟麟拒不答应。于是岑春煊先撤去王道员官职，然后前往谭府要求查办王道员。谭钟麟听闻大发雷霆，但仍然庇护王道员，两人互相参奏至京城，甚至当面拍桌相骂。最终谭钟麟被免去两广总督之职，王道员被革职严办。此事也是清朝建立以来第一起藩司弹劾总督并获成功的案例，岑春煊因此闻名朝野。

岑春煊

岑春煊查办的另一重大案件是广东海关书办（管理文书的职位）周荣曜贪污案。广东海关书办这个职位向来都是肥差，周荣曜虽然只是一名小官吏，但是他聚敛的财富竟然达到数百万两之多。他还用钱打通关系，结交官绅豪门。周荣曜私自携带银两进入京城，贿赂庆亲王奕劻，被朝廷任命为四品大员，出任比利时公使。岑春煊听到这个消息后愤怒不已，冒着得罪朝廷重要大臣和权贵的风险上书请求朝廷罢免周荣曜，并且查抄他的全部家产以充公。周荣曜听到风声后畏罪潜逃到香港，奕劻看着这个情况，不敢说一句话来支持周荣曜。岑春煊任内共劾罢贪渎官员、不法污吏多达一千四百多位，全省乃至全国为之震动，两广地区官吏甚至“谈岑色变”，岑春煊也因此名满天下。

岑春煊除了是军事家、政治家，还是一位出色的教育家、实业家，他主张引进西方近代文明、崇尚西方的教育立国模式，认为只有进行教育改革，大办新式学堂，才能培养出各种近代化人才，挽救危亡的国家。

岑春煊一手严惩贪污受贿之官员，一手则不遗余力地兴办学校教育。早在山西任职期间，岑春煊在废科举、兴学堂的新思潮影响和培养人才、挽救危亡的形势下，主导创办山西大学堂。山西大学堂成为中国最早的三所大学堂之一。岑春煊后于桂林创办广西高等学堂，并写出《广西高等学堂开学告诸生文》，在文中，他对广西学子寄予厚望，将他们称为“广西之前途”“中国之前途”。此外，岑春煊还关注中学教育，亲自为百色泗色中学堂（今百色中学）筹集学堂基建经费。岑春煊还在广东创立广东法政学堂，它与京师法律学堂、北洋法政学堂等第一批官办政法学堂一起揭开了中国政法教育的近代化序幕。此外，岑春煊还重视师范教育，成立两广师范学堂等，大力培养师资，此后两广的许多军、政、教育人才，皆是从这些学堂毕业的。

除此之外，岑春煊在任两广总督期间，还多次选派学生前往日本留学，学习日本先进的文化科学，培养各种高级的专门人才。他的这些兴学育才新政，影响尤为深远，既开两广兴学、重才先河，奠定此后两广文化教育事业发展基础，又促进文化科学的传播，为国家培养了一大批专门的实用之才，推动社会经济发展。

在重点抓兴学时，岑春煊大力兴办实业，“使民有业可执，从而安其生”。岑春煊经过调查发现，广东数年来的海关贸易总额，每年进口额度大于出口额度，以致两广地区财富和资源日益减少。因此，他认为“工厂之不能不急办也”。待广西局势稳定之后，岑春煊认为最重要的事情就是“振实业以厚民生”。于是，他在梧州、桂林设立工艺厂，请广东师傅教习，在各州县挑选年轻人进厂学艺，生产土布、藤器、竹器、草席等，产品沿西江水路运到广东出售；他还在广州兴建水泥厂，订购洋行机器，日产水泥五百桶。安徽省的清节堂织布机器织出来的布样精美，岑春煊便从该处订购了一整套织布机器以及布样，发放给广州工艺厂，命令他们按照布样和机器部件进行研究，模仿纺织，以促进广东织布业的进步。之后岑春煊还主持创办了广东省自来水公司——它也是中国最早建立的自来水厂之一，解决了广州民众吃水困难的问题。此外，岑春煊在担任两广总督期间，还积极推动商会成立，关注民生，收回利权，筹办铁路，对两广地区的政治、经济、文化、教育等多方面的近代化有着深远的影响。

岑春煊作为名臣岑毓英之子，生活在晚清至民国的巨变时代，在诸多著名的历史事件中皆有其身影，如支持维新变法运动，八国联军侵华期间护送慈禧太后和光绪帝至西安，引发“丁未政潮”，在护国运动中发挥重要作用。今有学者评价其一生有四大变，其中三变“从不谙国事的大家子弟向维新官吏之变”“从帝党成员向官僚立宪派之变”“从清朝大吏向拥护共和之变”，均是从比较落后状态转向比较进步状态，在历史转折的关键时刻，成为时代的先行者。

近代广西岑氏“一门三总督”谱写了许许多多传奇故事，他们在广西历史上留下了浓墨重彩的一笔。

晚清广西经济

广西巡抚林绍年奏广西锑矿甚富，现值灾赈方殷，欲筹寓工于赈之法。拟酌提公款，收运官锑，并请暂免出井税，以兴利源。下部议："寻奏，该抚所拟开办章程，尚属周妥，应请准予试办。"

——《清德宗实录》"光绪三十二年十一月壬寅"条

清政府在第一次鸦片战争（1840—1842年）失败后，被迫签订《南京条约》，开放通商口岸，西方商品和资本涌入中国。随着第二次鸦片战争失败，中国社会半殖民地化程度进一步加深，加速了中国经济的被动开放。清政府在内忧外患的背景之下，不断发展实业以求自强，尤其清末新政后，鼓励民间资本参与经济建设。晚清广西实业正是在这一历史背景下发展的。

传统农业创新发展

光绪初年开始，广西农林业、工业、商业、交通运输业等在近代化进程中取得了新发展，光绪末年在内外形势刺激下，实业得到一定的发展。

传统农业方面。光绪三十三年（1907年），广西地方官员曾上奏称，广西实业振兴最先适宜的为耕地、山林、畜牧三项，建议大力发展新式垦殖业，并派人前往日本北海道调查取经，欲聘请有经验的农林技师及兽医来广西，助力广西农事试验场的工作推进。这项计划得以顺利实施。此外，广西传统的农业耕种中引入了新的种植技术，广西新式农业一度有所发展。

以本土资源为输出的传统贸易在晚清广西经济中仍然占据一定比重。牛皮贸易在广西发展得十分成熟。广西养殖牛较多，多产黄牛皮、水牛皮，每年的产出量巨大，与广东同为南方重要牛皮产地。广西牛皮产地主要集中在桂江流域以及桂平一带，梧州为牛皮贸易的枢纽城市，推动广西牛皮远销海外。在南宁埠未开放以前，牛皮专由梧州向国外输出。在梧州交易的牛皮，每年数额达两万五千余担。其中，南宁府、浔州府所产质量最优良。梧州府牛皮由水路运输销往广东或香港，往广东者经由民船，往香港则经由轮船。梧州市场的牛皮商人也主要来自广东。当时梧州较大的牛皮商店有广利源、黄德合、广聚成、颜逢吉、广昌泰、福隆，其中最大的广利源，占据梧州市贸易额度的五分之二。1907年，南宁开作商埠后，成为另外一个牛皮输出海外的重要贸易地。广西牛皮虽为初级农产品，但以产量多、品质优良，加之耐储存、易运输的特点，凭借西江水系的交通优势，远销海内外。

大力发展实业

矿产资源具有重要的经济价值与战略价值。光绪三十二年（1906年），据广西巡抚林绍年所奏，广西遵照章程将农工商矿局改为农工商局，割出矿务一门，专设矿政调查局。广西境内的矿产资源被更多地开发与利用。《集成报》1897年记载：“广西一省山高岭峻，箐密林深，以桂林为最。五金之矿，到处皆有。如贵县天平寨之银矿、梧州金星尾之金矿，业由商人禀办。兹复查南宁、太平两府，附近有矿一处，多产（锑）石，曾有人试用，谓期力势甚猛，可作火药之需。经潘某带同矿师数人，前往各山探察，其石确有可用，不日完购机器，入山开采矣。”这则消息充分表明晚清广西有一定的矿产资源，并且已经被开采利用。

当时国外用低廉的棉纱等商品占据市场，迫使国内的制造行业不得不寻求变革。1908年《重庆商会公报》报道，广西每年进口洋货，据梧州各关贸易册所载，其价值总和在六十百万两左右，而其中最大一宗棉纱一项约占交易总额三分之二。建立在不平等关系上的经济贸易对广西本土传统的纺织业造成了冲击和损害。地方官员为抵制棉纱这一外国商品，特派人调查广西的本土棉花产量及市场销售情况，将广西各地的土棉带赴上海、湖北等地以机器纺织试验，看本土棉花能制成什么样的棉纱，总之是想设立纱厂，推广土棉以替代外来的棉纱，将经济发展权掌握在自己手中。

晚清广西注重实业人才的培养。光绪三十二年（1906年），《商务官报》记载，农工矿各业关系到实业振兴，广西巡抚为此选派学生若干人赴东洋学习实业。时任广西巡抚林绍年是清末新政的积极支持者，广西重视实业学生的派遣与其积极实践教育救国理念紧密相关。“师夷长技以制夷”对中国近代化进程产生了深刻影响，晚清实业的发展基本在学习西方技术的过程中艰难探索，培养能够振兴实业的人才成为广西在内的各省急切需求。

除农业和实业发展外，商埠的开放也是晚清广西经济的重

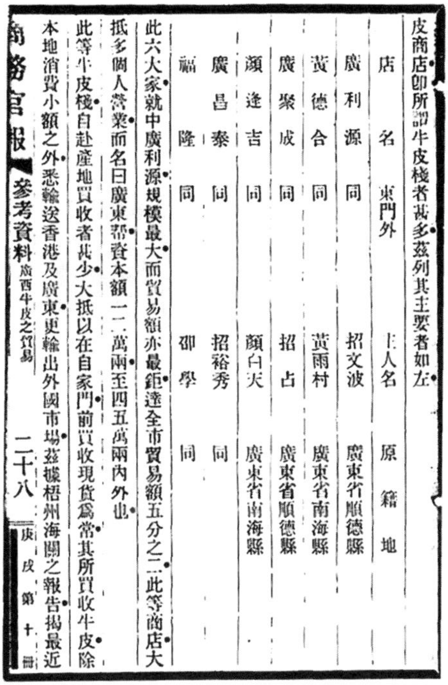

皮商店即所謂牛皮棧者甚多。茲列其主要者如左。

店名	東門外	主人名	原籍地
廣利源	同	招文波	廣東省順德縣
黃德合	同	黃雨村	廣東省南海縣
廣聚成	同	招占	廣東省順德縣
顏逢吉	同	顏白天	廣東省南海縣
廣昌泰	同	招裕秀	同
福隆	同	邵學	同

此六大家。就中廣利源。規模最大。而貿易額亦最鉅。逮全市貿易額五分之二。此等商店大抵多個人營業。而名曰廣東幫。資本額一二萬兩至四五萬兩內外也。

此等牛皮棧。自赴產地買收者甚少。大抵以在自家門前買收現貨為常。其所買收牛皮。除本地消費小額之外。悉輸送香港及廣東。更輸出外國市場。茲據梧州海關之報告。揭最近

商務官報 參考資料 廣西牛皮之貿易 二十八 庚戌第十冊

《商务官报》1910年第10期

要变化。龙州、梧州、南宁等商埠的设立，促进了广西对外贸易的繁荣，带动了航运等行业的兴起。然而，这一进程也导致广西传统手工业遭受冲击，部分行业因难以适应激烈的市场竞争而衰落。总体而言，商埠的开放对广西经济产生了双重影响，既推动了现代化转型，也带来了结构性挑战。

晚清广西的实业蓬勃发展，垦荒、蚕业、牛皮等传统农牧业均有突破，矿产资源的开发利用更为成熟，也注重实业人才的培养。此外金融、邮传、交通运输等方面都有变化，新式金

融机构成立、电话电报开通、轮船鸣笛江面，商人、买办活跃，店铺、商会林立，一派欣欣向荣的经济气象。但是晚清广西实业发展过程中，尤其在引进西方技术过程中，受到国外的遏制。在不平等的国际关系中，广西实业注定艰难发展，但它仍然成为中国近代化进程中的有益探索。

康有为游学桂林

康有为，字广厦，号更生，原名祖诒，广东南海人。光绪二十一年进士，用工部主事。少从朱次琦游，博通经史，好公羊家言，言孔子改制，倡以孔子纪年，尊孔保教，先聚徒讲学，入都上万言书，议变法，给事中余联沅劾以惑世诬民，非圣无法，请焚所著书。中日议款，有为集各省公车上书，请拒和、迁都、变法，格不达。复独上书，由都察院代递，上览而善之，命录存备省览。

——赵尔巽等《清史稿》卷四百七十三《康有为传》

晚清时期，中国正值内忧外患之际，清廷腐朽无能、西方列强侵略，社会思潮发生了剧烈的转变，变法图强成为政治文化经济的核心。康有为与广西一些有识之士共同探索救亡图存之路，开展系列政治文化活动，对广西地方社会产生了积极影响。

康有为生平

康有为（1858—1927年），字广厦，号长素、西樵山人、更生等，广东南海人，光绪二十一年（1895年）进士，中国近代思想家、维新派领袖。康有为出生在官宦之家，据《康南海自编年谱》，其祖父为道光举人，升用教授连州训导；其父亲提举衔，江西补用知县。康有为少时聪敏，五岁能诵唐诗数百首，六岁跟随老师简凤仪读书，学习传统儒家知识，熟读《大学》《中庸》《论语》《孝经》，为他日后的学术思想奠定深厚基础。他还经常外出游历，增长见识。

康有为

康有为虽年少即才学惊人，但是其登科甲之路并不顺畅，十九岁时参加乡试没有考中，后师从朱次琦学习。朱次琦注重“五学”即“经学、文学、掌故之学、性理之学、词章之学”教导，经、史、宋明儒学等无不涵盖。康有为在其指导下，学问日益精进。光绪九年(1883年)，康有为涉猎更为广泛，读《万国公报》，“大攻西学书，声、光、化、电、重学及各国史志，诸人游记，皆涉焉”。可谓学贯中西。此时，康有为已经萌生出非常强烈的改革思想，他首倡反对女子裹足的陋习，坚决反对让自己的女儿裹足，一开始遭到长辈阻拦，但在康有为的坚持下，他的女儿最终免于裹足。有了先行者，康有为的侄女们不裹足也变得相对容易。康有为还创建“不裹足会”，拟定相关草例，吸纳会众，动员妇女不裹足，一度推进当地的妇女解放运动。这项运动后续在全国其他地方推广开来，这给予康有为推行改革的强大信心，“吾立禁裹足之愿，与非八股之愿，二十年皆不敢必其行者，而今竟行之。故学者必在发大愿，既坚既诚，久之必有如其愿者”。

康有为潜心著书，成果丰硕，著有《婆罗门教考》《王制义证》《毛诗伪证》《周礼伪证》《说文伪证》《尔雅伪证》，他对传统经典的质疑与对西方文化的探索，使其变革思想逐渐趋于成熟。光绪十七年（1891年），康有为在广州长兴里开学堂讲学，著有《长兴学记》，以用为学规，形成“大发求仁之义，而讲中外之故，救中国之法”的教学风格，在此期间，他希冀通过变法而寻求救世良方的思想愈加坚定。在这段时间里，在梁启超、陈千秋辅助下，康有为推出《新学伪经考》，为变法维新营造了舆论氛围。之后其移居广州讲学，影响日益扩大，从学者众，在传播变法思想的同时培养了大批的变法骨干。

康有为桂林讲学

光绪十九年（1893年），康有为应乡试，中第八名。次年，康有为进京会试，因足伤而归。当时他已在京城有一定名气了，因他撰写的《新学伪经考》，认为古文经为伪作，不是孔子真经，由此被封建顽固守旧分子视为离经叛道、亵渎孔子者。这在思想界掀起轩然大波。《新学伪经考》的重要价值在于它对以古文经学为基础的传统思想进行突破，引发了人们对传统思想的怀疑和反思，促进思想解放。封建思想在长期的历史进程中异化成禁锢人们行为的壁垒，康有为及其弟子的努力，使当时的知识分子能够突破传统观念的束缚。康有为通过论证古文经为伪经的方式，进一步宣扬孔子托古改制的思想，强调因时变革的必要性。这种观念的传播，使社会各界逐渐认识到改革的紧迫和重要，为戊戌变法提供了强有力的思想武器，促进了社会变革思潮的兴起和发展。这一年冬天，康有为到桂林讲学，宣传维新变法思想，推动了当地的思想启蒙。

康有为在桂林的第一次讲学，就是在他在著《新学伪经考》，被以“非议孔圣”的罪名弹劾后，受弟子桂林人龙泽厚邀请到达桂林时期。据《桂林广东新会馆记》：“光绪十八年香山黄公布政西粤，率其乡人作广东新会馆于桂林城中。二十年□月馆成。其腊，康祖诒以著书被议，游于桂山，公命其寮余铭勋、杜应时来，属为文记之。”康有为此次到桂林讲学，停留仅一个月左右，时间非常短暂。但他对于以古文经学为基础的传统学术的质疑，给当时的桂林乃至整个广西带来了极大震撼，他力主倡导变革的理念开始冲击当时广西腐朽的旧制度、旧文化。尽管经过今人研究，当时桂林的秀峰书院等书院的负责人并没有完全接受康有为的革新思想，但是以龙泽厚为代表的有识之士邀请康有为讲学桂林的举动，在康有为宣传新思想、新主张受挫之际，成为康有为重要的精神支柱，也展现出龙泽厚等人的远见卓识。年后，康有为、梁启超领导了著名的“公车上书”事件，联名一千多名举人上书光绪帝，反对在中日甲午战争中战败的清政府签订丧权辱国的《马关条约》。

在桂林建学堂，办报纸

光绪二十三年（1897年），康有为再次来到桂林，此时他已是全国关注的核心人物，因“公车上书”成为知识界和舆论界的代表，声名显赫。他再次受龙泽厚邀请抵达桂林，受到广西官绅、学界人士的热烈欢迎。康有为在桂林讲学内容仍以经学为中心，借古言今，偏重时事，剖析中国积贫积弱的缘由，对比探究西方各国强大兴盛之缘故，强调变法维新的必要性。这一次讲学时间较长，有近半年。他在唐景崧、岑春煊等当地官绅及其他有识之士的支持下，在宣扬新思想与变法主张的基础上，实施推进变法的具体举措。第一，组织圣学会、创办广仁学堂。康有为亲自草拟了圣学会章程，明确尊孔、传道、育人、救国为宗旨。章程规定学会的五项基本任务：一是逢庚子日集会读经；二是广购图书仪器；三是编辑出版报纸；四是设立义塾；五是开办农、工、商三业学堂。虽然其具体的办学措施有一定的局限性，但是购置图书仪器与开办农、工、商三业学堂的举措，已经与清代的考据于故纸堆的学术主张完全不同，讲求实学，这对塑造近代广西社会的务实风尚具有重要意义。第二，创办了《广仁报》，报纸内容丰富多彩，包括时事新闻、外文议述、杂谈、短评等，其中主张的民主思想鲜明，激发了民众奋发图强之心，成为两广地区宣扬变法图强的新舆论阵地。圣学会的成立得到了一批广西官绅、学界人士的支持，它把赞成变法维新的官绅士子们团结起来，同时办报纸、开学堂、讲求实学，变法维新的潮流在广西地区高涨。维新派通过学会扩大宣传，联络志士，推动政治改革。但后来戊戌变法失败，圣学会不得已解散。

康有为及其领导的资产阶级改良运动，虽然在经济和政治变革主张上有一定的局限性，无法解决当时中国社会面临的根本问题，但在近代中国历史上仍有重要的地位和影响，其所倡导的变革理念，推进了近代中国思想解放。其两次来桂讲学，为广西带来了先进思想，为广西之后的变革做了思想上的准备。

近代新思想传入广西

戊辰，诏兴农学。谕曰："振兴庶务，首在鼓励人才。各省士民著有新书，及创新法，成新器，堪资实用者，宜悬赏以劝。或试之实职，或锡之章服。所制器给券，限年专利售卖。其有独力创建学堂，开辟地利，兴造枪炮厂者，并照军功例赏励之。"

——赵尔巽等《清史稿》卷二十四《德宗本纪二》

清末广西的社会状况复杂而多变。作为中国西南边陲，以传统农业为主的广西长期处于相对稳定但封闭的状态。然而，随着西方列强的入侵和清政府的改革，广西逐渐受到外部影响。特别是中法战争后，广西的战略地位日益凸显，成为中外文化思想碰撞的重要地区。

在这一背景下，广西的文化环境发生了显著变化。受儒家文化浸染的知识分子积极奔走，呼吁共救国难，国外的思想文化由此通过各种渠道传入。新式教育的推行、报刊的创办以及民主革命运动的开展，为广西带来了新的思想和文化。同时，独特的地理位置，使得广西的文化呈现出多元化的特征，为新文化的传播提供了肥沃的土壤。

新式教育与报刊

在清末新政的影响下，广西教育发生巨大的变革，以儒家经典为学习核心的传统官学、私塾教育体系转向更为务实的近现代教育体系，细分为高等教育、中学教育、初等教育、师范教育、实业教育、其他教育，在新教育体系下开办的新学堂，成为传播新思想文化的新平台。光绪二十五年（1899年）广西巡抚黄槐森在桂林设立体用学堂，分中、西两科，聘有识之士唐景崧为中学总教习，另设小学，有国文、英文、算学三科。

报刊是另外一种传播新思想文化的重要载体。在新思潮的推动下，广西各种报刊如雨后春笋般出现。官方报刊，主要代表为《广西官报》，创刊于1907年。据全国报刊索引介绍，该刊以正人心、增学识为宗旨。主要内容涉及政治、经济、教育、外交、工业等领域；分谕旨、章奏、文牍、国内要事、外国要事、各报采择、编译、调查等栏目。《广西官报》是当时广西巡抚衙门的机关报，作为清末广西地区的重要“官方媒体”，在新思想文化传播中扮演着复杂而重要的角色。一方面，作为清政府的地方喉舌，其主要功能是传达官方政策和维护传统政治秩序，因此在传播新思想方面存在一定局限性。另一方面，随着清末社会变革的深入，《广西官报》也不可避免地受到新思潮的影响，开始更多地介绍西方科学技术、教育理念和政治制度，客观上为新思想的传播提供了渠道。特别是在教育改革、实业兴国等方面，《广西官报》的报道和评论对广西知识界产生了一定影响。尽管其立场保守，但在当时的历史条件下，《广西官报》仍在一定程度上充当了新旧思想交锋的平台，为广西社会的思想启蒙做出了贡献。早期在康有为的领导与支持下，康有为的弟子在桂林还创办了广西最早的民办报纸《广仁报》，亦是宣传变革思想的重要阵地。

民主革命运动与革命思想传播

民主革命，一般分为两个阶段，1840—1919年为旧民主主义革命时期；1919—1949年为新民主主义革命时期。孙中山领导的旧民主主义革命对广西思想文化的变革产生了深刻的影响。民主革命运动为先进思想文化的传播提供了动力和契机，而先进思想文化的传播又为民主革命运动奠定了思想基础和社会支持。

1907年春，钦州地区糖捐苛重，民众不堪重负，便推举数十名代表向清地方政府请愿减税，然而官府却无视民意，扣押代表欲问其罪。钦州人民组织“万人会”奋起反抗，成功选出代表后，抗捐斗争由此从请愿运动升级为武装暴动。随后，代表们进一步派代表赴越南河内向孙中山求助。孙中山委任广西南宁人王和顺为“中华国民军南军都督”，令其赴钦廉地区联络民团与会党，壮大起义力量。9月初，王和顺率两百余人发动起义，迅速袭取防城，防城新军随之倒戈响应，起义军成功占领防城。为巩固起义成果，扩大影响，王和顺发布《告粤省同胞文》《告海外同胞文》，反抗清廷。起义军进一步开展军事行动，黄兴策动清军将领郭人漳。郭人漳佯装应允，实则背约，起义军反受其所率部众压制，陷于不利地位。至9月中旬，因无法与清军抗衡，王和顺无奈宣布解散国民军，退往越南，梁建葵率余部退入十万大山，这场历时半月的钦廉防城起义最终失败，但

王和顺

其作为资产阶级革命党人领导的反清武装斗争，在民主革命进程中具有重要意义。这次起义在一定程度上打击了清朝统治，传播了革命理念，也为后续革命积累了经验教训。

孙中山等同盟会成员领导的武装斗争虽以失败告终，但有力地打破了封建思想束缚，平等、民主等新思想开始深入人心。孙中山后来还在广西积极开展政治宣传与思想教育活动，他在广西梧州、桂林多地发表演说，阐述三民主义，号召民众团结一致，肩负起国民的责任，共同推进民主革命运动。由此，广西成为资产阶级民主革命的重要阵地。

孙中山

广西先进思想文化的传播还得益于广西知识分子的积极推动和不懈努力。这些思想和文化的传播者主要包含：具有进步思想的官员、传统士绅阶层、新式学堂毕业生以及国内极具影响力的思想家和革命家。唐景崧、岑春煊、龙泽厚等是其中的代表，他们在传播先进的思想文化上的不懈努力，促进了晚清广西社会的思想解放。他们成为连接传统与近代、本土与外来文化的桥梁。在先进思想与文化的推动下，广西社会的变革与进步加快。晚清的文化变迁，为广西后来的社会发展奠定了重要基础。

主要参考资料

［1］赵尔巽撰《清史稿》，中华书局，1977年。

［2］《清实录》，中华书局，1985年影印本。

［3］康熙《广西通志》。

［4］雍正《广西通志》。

［5］汪森辑，黄盛陆等校点《粤西文载校点》，广西人民出版社，1990年。

［6］汪森辑《粤西诗文载》，清康熙四十三年刻本。

［7］汪森辑《粤西丛载》，清康熙四十三年刻本。

［8］潘茨宣、梁宇广：《中华文明史上的广西人》，广西师范大学出版社，2008年。

［9］中国人民政治协商会议广西壮族自治区委员会编《广西历史名人》，广西师范大学出版社，2012年。

［10］刘祥学：《广西简史》，漓江出版社，2018年。

［11］刘硕良、郑维宽：《广西读本》，漓江出版社，2018年。

［12］周长山、刘祥学、宾长初主编《广西通史·第六卷·清代卷》，广西师范大学出版社，2019年。

［13］谭其骧主编《中国历史地图集》，地图出版社，1987年。

［14］钟文典主编《广西通史》，广西人民出版社，1999年。

［15］康有为：《康南海自编年谱》，中华书局，1992年。

［16］罗尔纲：《绿营兵志》，商务印书馆，2011年。

［17］龚书铎主编《中国社会通史·晚清卷》，山西教育出版社，1996年。

后记

在中华文明的历史长河中，广西是一个不可忽略的南方坐标。

一方面，广西先民依山逐水，以身躯为笔，以血汗为墨，绘制出壮美的历史丹青。在各民族交往交流交融中，八桂渐变为文明之域。在此进程中，广西的天地之境、人物之英、事功之变，自是多有令人兴思回味之处。

另一方面，历史并非完成时态，而是一个开放的问题田野，用时代视角来解读旧日天地，是一个“其命维新”式的永恒命题。在这个层面，广西文明的意义触角一如山之落脉、水之旁流，延展、分叉、变化，最终融汇为可资推阐的“无尽藏”。

为了呼应时代的需求，彰显广西的历史底蕴和文化特色，在广西壮族自治区党委宣传部的组织策划下，广西人民出版社以弘扬中华优秀传统文化、铸牢中华民族共同体意识为导向，以20世纪80年代出版的《二十四史广西资料辑录》为基础，出版《正史里的广西》（五卷本），讲述中华文明发展中的广西故事。

为讲好正史里的广西故事，广西人民出版社邀请中国史学会副会长、北京大学历史学系原主任张帆教授担任编委会主任，广西民族大学历史系四位学者组成撰写团队，广西民族大学民族学与社会学学院王柏中教授、郝国强教授担任顾问。《正史里的广西》共分“先秦秦汉魏晋南北朝”“隋唐”“宋元”“明代”“清代”五卷。各卷依据不同时代正史的材料，拟定了类型多样的专题，其中既有对单一人物、事件的浓描，也有对历史发展脉络的梳理；既有对历史名人的重点书写，也有对整体自然环境、物质文化、社会生活的统览。

《正史里的广西》五卷本的基本内容如下：

第一册“先秦秦汉魏晋南北朝卷”，由韩周敬撰写。以《史记》《汉书》《后汉书》《三国志》《晋书》等史书为主要史料来源，围绕先秦至南北朝时期与广西有关的重要人物、事件，梳理了陈钦、陈元、孟尝、士燮、牟子、陆绩、绿珠、葛洪、颜延之等人的行迹，叙述了灵渠的开凿、秦朝岭南三郡的建置、汉武帝平定南越、海上丝绸之路的开辟、吴国的交广分治等重要史事。此外，本卷还对骆越先民的生活图景、句町方国的历史、广西的天文分野、独特而多元的饮食、与人类共生的动物、岭北对广西的文化想象等专题进行了论述，生动揭示了先秦至南北朝时期广西历史的丰富面貌。

第二册“隋唐卷”，由滕兰花撰写。以《隋书》《旧唐书》《新唐书》等史书为主要史料来源，参照文集等文献，并对重要撰述对象进行田野调查。隋唐时期，广西本地英杰辈出，如赵观文、曹邺等，也有不少南来的名人，如裴矩、令狐熙、柳宗元、李商隐、鉴真等，本卷对他们与广西的关系做了较为细致的探究。此外，对南选制度、潭蓬运河、相思埭运河、风物土产和民间艺术等也进行了饶有兴味的论述。

第三册“宋元卷”，由龙小峰撰写。以《宋史》《元史》为主要史料来源，辅以地方志、文集和碑刻等相关材料。选取宋元时期较为典型的相关历史人物或事件，如周渭、曹克明、范成大、周去非、苏轼、萧注、李师中、苏缄、岳霖、马塈、史格、黄圣许等，以他们在广西的事迹为主线，侧重从政治、军事、经济、文化等方面，展现宋元时期中央王朝对广西乃至南疆的经略，以及广西在中央王朝经略背景下日益融入国家治理体系的过程。

第四册“明代卷”，由邓平撰写。以《明史》为主要史料来源，参照《明实录》《明会典》及地方志、文集等相关文献，选取明代与广西有关的典型历史人物，如朱守谦、岑瑛、孝穆纪太后、蒋冕、王阳明、瓦氏夫人、徐霞客等，以他们的生平事迹为论述核心，着力呈现明代国家治理下的广西社会情况。此外，本卷对布政使司、土司制度、卫所、人口迁徙与民族交往交流交融等主题也做了简要梳理。

第五册“清代卷”，由邓平撰写。以《清史稿》为主要史料来源，参照《清实录》《大清会典》及中国第一历史档案馆馆藏档案、地方志、文集、碑刻等相关文献资料，选取清代与广西有关的典型历史人物，如石涛、于成龙、汪森、甘汝来、金鉷、陈宏谋、苏元春、岑春煊、康有为等，讲述他们在政治、经济、文化等各领域的贡献，以及他们对广西乃至中国历史进程的重要影响。此外，本卷对金田起义、镇南关大捷、近代新思想传入广西等重要历史事件也进行了梳理。

在写作风格上，五卷本《正史里的广西》力求图文并茂，达到学术性与通俗性的统一。在篇目布局上，按照时代先后顺序排列。各卷所参考的主要文献、著作，已罗列于正文之后。另有数量众多的参考论文，限于体例，难以对其来源一一详举，还请读者见谅。

最后，感谢广西人民出版社的信任，感谢审稿专家提出的宝贵意见。对作者团队来说，每个人物故事都是在进行古今对话，每次史料钩沉都是在重塑认知版图，每幅历史图景都是在生发家国共情，但受限于学力才识，书中难免有疏漏与不足之处，恳请读者不吝赐教。